GÉRALDINE GAGNÉ

VAINCRE LE STRESS
PAR LA
GYMNASTIQUE RESPIRATOIRE

Du même auteur:
Apprendre à mieux respirer,
© Édimag inc., 1994

Je tiens à remercier toutes les personnes

qui m'ont appuyée et encouragée

durant mes 20 années d'enseignement

de la gymnastique respiratoire,

spécialement Lionel, mon conjoint,

qui me seconde si bien depuis le tout début

et ma mère, âgée de 100 ans,

qui pense à moi dans ses prières.

C.P. 325, Succursale Rosemont
Montréal (Québec), Canada H1X 3B8

Téléphone: (514) 522-2244
Télécopieur: (514) 522-6301
Courrier électronique: pnadeau@edimag.com

ÉDITEUR: Pierre Nadeau

ILLUSTRATIONS: Audrey Mayer (514) 651-1819
COLLABORATION À LA RÉDACTION: André Sarrazin
DIRECTION TECHNIQUE: Echo international inc.

Dépôt légal: premier trimestre 2004
Bibliothèque nationale du Québec
Bibliothèque nationale du Canada

© Édimag inc., 2004
Tous droits réservés pour tous pays
ISBN: 2-89542-124-2

TABLE DES MATIÈRES

DISTRIBUTEURS EXCLUSIFS

POUR LE CANADA ET LES ÉTATS-UNIS
LES MESSAGERIES ADP
955, rue Amherst
Montréal (Québec) CANADA H2L 3K4

Téléphone: (514) 523-1182
Télécopieur: (514) 939-0406

POUR LA SUISSE
TRANSAT DIFFUSION
Case postale 3625
1 211 Genève 3   SUISSE

Téléphone: (41-22) 342-77-40
Télécopieur: (41-22) 343-46-46
Courriel: transat-diff@slatkine.com

POUR LA FRANCE ET LA BELGIQUE
DISTRIBUTION DU NOUVEAU MONDE (DNM)
30, rue Gay-Lussac
75005 Paris   FRANCE

Téléphone: (1) 43 54 49 02
Télécopieur: (1) 43 54 39 15
Courriel: liquebec@noos.fr

AVANT-PROPOS

V oilà maintenant 20 ans que j'enseigne la gymnastique respiratoire. À l'heure où les médecines douces se multiplient, pourquoi ai-je choisi cette méthode plutôt qu'une autre ? Parce que cette technique m'a redonné une meilleure santé, une meilleure qualité de vie et confiance en moi-même.

J'étais une fille stressée. J'avais 28 ans quand j'ai fait ma première crise d'angoisse à la suite de la perte d'un être cher. J'ai dû mettre un terme à toutes mes activités. Puis j'ai développé des allergies et, après deux ans de traitements, mon médecin m'a fait comprendre que je devais trouver le moyen de vaincre mon angoisse. J'étais alors devenue asthmatique et je courais constamment après mon souffle. J'avais repris le travail mais mon état ne s'améliorait pas.

Après avoir fait la découverte de la gymnastique respiratoire, je respirais mieux parce que j'avais augmenté ma capacité pulmonaire. Grâce à cette amélioration, je réussissais à faire face au stress, j'avais un sommeil plus reposant et je me sentais de mieux en mieux physiquement et intérieurement.

Réalisant l'efficacité de cette découverte, après un an de pratique, j'ai décidé d'opter pour la formation en gymnastique respiratoire dans le but de la faire connaître davantage. Après 20 ans d'enseignement, je suis toujours étonnée des résultats que mes élèves obtiennent. Je ne fais pas de miracles, mais je propose tout simplement aux gens une technique, des trucs, des conseils qui aident à soulager stress, angoisse, etc. En prenant conscience de leur respiration, ils apprennent à être davantage à l'écoute de leurs besoins.

En écrivant ce deuxième volume, je veux tout simplement vous donner la possibilité de découvrir, comme moi, la joie de bien respirer. Élémentaire, me direz-vous, mais la vie moderne vous le permet-elle?

Géraldine Gagné

Géraldine Gagné dispense des cours privés, semi-privés (pour les couples) et des cours de groupe. Elle donne également des conférences sur demande. On peut l'entendre à la radio, la voir à la télévision et la lire dans les journaux. Elle donne aussi des cours de groupe dans certains centres pour femmes et pour certaines associations.

Informations :
(450) 679-7865

POURQUOI
UN DEUXIÈME LIVRE?

*Parce qu'il est essentiel
de faire prendre conscience aux gens
de toute l'importance de la respiration.
Savez-vous bien respirer ?*

LE SOUFFLE, C'EST LA VIE

Avec la vie trépidante qu'on s'oblige à vivre aujourd'hui, on finit par s'oublier dans ce monde infernal. Regardez vivre les gens, regardez-vous vivre, analysez une seule journée de votre semaine et vous allez vite vous rendre compte que vous ne prenez plus le temps de respirer. Il ne s'agit pas ici d'une simple expression, mais bien d'une réalité. C'est la course pour tout, la performance dans tout; et si l'on veut rivaliser avec les autres, si l'on veut entrer dans la compétition, on doit performer au maximum en tentant presque de devenir *superwoman* et *superman*.

Pour beaucoup de gens aujourd'hui, le travail n'est plus physique comme au temps de nos parents. Tout est informatisé, mécanisé, robotisé. Le travail manuel diminue, mais le travail intellectuel n'est pas pour autant plus reposant. Quand on passe quelques heures devant l'écran de son ordinateur à travailler sur une étude ou sur un projet quelconque, à la fin de sa journée, on quitte épuisé le bureau.

Une fois rendu à la maison, on doit s'occuper des enfants, préparer les repas, souffrir le quotidien qui n'en finit plus. On espère avoir un peu de temps pour s'écraser devant la télé, sur son fauteuil préféré et se relaxer avant d'aller au lit.

Mais voilà ! La publicité nous ordonne d'agir, de performer et surtout, oui surtout, d'éviter de «nous écraser sur un fauteuil» comme si c'était défendu de se reposer ! Quelle honte ! On n'a plus d'énergie... On manque de souffle. On envie presque le petit lapin rose «à piles» de la publicité qui ne s'arrête jamais. En même temps, on développe la culpabilité parce qu'on n'est plus aussi en forme qu'on le voudrait.

Pour compenser, on s'inscrit à des centres sportifs, on marche sur des tapis roulants, on sue sur différents appareils pour se donner l'illusion d'être dans la parade. Puis finalement, on prend conscience que l'exercice nous fait du bien, que notre respiration semble plus normale, que l'on court moins après son souffle et que notre endurance s'améliore.

Nous sommes tous conscients que l'activité physique améliore notre santé. Nous savons également qu'il faut faire travailler nos muscles. Mais il faut bien l'avouer, il n'est rien de plus ennuyeux, à mon avis, que de faire des exercices en série sur des appareils compliqués, en comptant jusqu'à dix. Cependant, on veut garder sa ligne, agrandir sa capacité pulmonaire et se débarrasser des toxines et du gaz carbonique.

Le travail de bureau demande énormément d'énergie mais il ne fait travailler que le mental. Quand on est concentré sur un travail, d'une façon inconsciente, on s'arrête souvent de respirer. C'est la principale raison du manque d'énergie après une journée de travail. On finit sa journée avec des maux de tête, des

étourdissements et une grande fatigue.
On sait que les personnes qui se livrent à
des activités physiques ou qui pratiquent
des sports en général développent leur
tonus. On dira d'un confrère qui fait de la
bicyclette régulièrement qu'il a beaucoup
plus de souffle que nous. Et ça, nous le
comprenons quand nous reprenons une
activité au printemps. Nous avons besoin
d'accroître notre capacité pulmonaire.
D'où le besoin de pratiquer la gymnastique respiratoire.

RESPIRER PAR LE NEZ

*Nous devons modifier
notre mode de vie.*

**La bouche, on s'en sert pour parler
et pour manger, et le nez est fait
pour respirer**

Respirer, rien de plus normal et de plus
naturel, me direz-vous. C'est tellement
évident qu'on ne s'arrête jamais pour y
penser, c'est comme cligner des yeux,
avaler, etc. On n'a pas besoin d'y réfléchir.
Cependant, chaque fois que l'on a peur,
que l'on vit un stress ou que l'on ressent
une douleur, le souffle nous manque et
on s'arrête de respirer. On perd à la

longue le rythme normal de sa respiration. Qui n'a pas vécu cette expérience troublante ? Non seulement la respiration semble nous manquer mais tout notre être devient incontrôlable. On doit s'arrêter, s'asseoir et reprendre lentement son souffle. À ce moment-là, il importe de reprogrammer le cerveau pour reprendre son rythme respiratoire normal.

Avec une accumulation d'épreuves, d'émotions et d'angoisses, le cerveau devient programmé par le stress. Rien de plus dangereux pour la santé. Il convient d'avoir une technique que l'on met en pratique régulièrement pour permettre au cerveau de bien se reprogrammer à la détente pour retrouver sa respiration normale et le nourrir de l'oxygène dont il a besoin.

Se détendre, ou se reposer, ne veut pas dire s'arrêter et ne rien faire.

C'est surtout se réserver un moment à soi pour faire des choses qu'on aime, c'est-à-dire s'adonner à un passe-temps, à un *hobby*, ou à toutes activités de son choix pour reposer son cerveau du stress quotidien. Et là, en souriant, on pratique la gymnastique respiratoire.

Il est recommandé de pratiquer la gymnastique respiratoire tous les jours pour nettoyer ses poumons. Il est très important de bien respirer parce que si l'on respire mal, on devient négatif et si on respire bien, on devient positif. Alors comment s'y prend-on ? C'est très simple et très efficace à la fois. C'est ce que nous verrons dans ce deuxième volume.

L'OXYGÈNE : UN MÉDICAMENT

Pour moi, la respiration est la base d'une condition physique et mentale véritablement saine. Avant de se lancer dans une thérapie de relaxation, on doit comprendre et se rendre à l'évidence qu'il y a un premier pas à franchir, un premier geste à faire, c'est celui de la **décontraction de la respiration.** Combien d'entre nous écoutons le phénomène respiratoire et combien d'entre nous pouvons percevoir que notre respiration est contractée, coupée ou bloquée ? La réponse est une évidence qui se passe de commentaires. Il est inutile d'avoir recours aux différentes techniques de détente sans avoir d'abord pris conscience de sa respiration. Si chacun de nous savait décontracter et contrôler sa respiration, il y aurait moins de maladies parce que l'oxygène, c'est notre nourriture et la source de notre énergie. C'est le fondement d'une bonne santé. Nous n'avons aucun contrôle sur nos organes internes. Il y a seulement la respiration que l'on peut ralentir ou accélérer.

LA GYMNASTIQUE RESPIRATOIRE

La gymnastique respiratoire est un ensemble de techniques qui nous servent d'outils à tout moment de la journée. Par une pratique quotidienne, nous parvenons à reprogrammer notre cerveau pour qu'il nous amène à respirer normalement. Il faut respirer profondément et lentement, ce qui aide énormément à prévenir et à résoudre les problèmes de santé. Lorsque vous possédez ces techniques, vous remarquez que chaque fois qu'un stress vous envahit, vous contrôlez automatiquement votre respiration et par le fait même, vous pouvez gérer plus facilement votre stress.

En général, l'être humain n'utilise pas la moitié du potentiel que tout l'appareil respiratoire peut lui donner. Au niveau biologique, il en résulte une oxygénation déficiente qui nuit, il va sans dire, au fonctionnement normal des organes essentiels que sont les poumons, le cœur ainsi que les cellules cérébrales.

REMARQUE

On respire par le nez parce que celui-ci possède des filtres sous la forme de petits poils que la bouche ne possède pas. Les gens qui respirent par la bouche ont toujours besoin de salive parce que celle-ci s'assèche vite. On peut produire de la salive en promenant la langue au palais, aux gencives, sur les dents ou encore en la mordillant. On peut également effleurer la base du menton avec les pouces et taquiner les joues avec les petits doigts. Ces petits gestes activent les glandes salivaires qui, soit dit en passant, sont les premières glandes qui bloquent face au stress.

APPRENDRE À MIEUX RESPIRER EN CINQ SÉANCES

Apprendre à mieux respirer, en suivant le cours que je vous offre, c'est définitivement investir pour une meilleure santé. Dans une atmosphère de relaxation et de détente, vous apprendrez en cinq séances les cinq façons de pratiquer la respiration. En fait, il s'agit de rééduquer votre technique de respiration grâce à une méthode simple, facile et efficace.

LES TYPES DE RESPIRATION

Sachez qu'il y a cinq types de respiration :
a) la respiration consciente;
b) le souffle qui nettoie;
c) la respiration glouglou;
d) le souffle de la méditation;
e) la respiration saccadée.

À partir de ces types de respiration, nous offrons cinq programmes bien définis tels que mentionnés aux pages 55 et suivantes.

Cette thérapie que je vous enseigne est très efficace pour :

- Améliorer votre capacité pulmonaire (contre l'asthme, l'essoufflement, la congestion);
- Aider la circulation sanguine;
- Faciliter la digestion;
- Régulariser la fonction intestinale;
- Éviter le vertige;
- Améliorer sa concentration;
- Avoir un meilleur caractère;
- Contrôler son agressivité;
- Développer ses facultés mentales;
- Posséder un meilleur contrôle de ses émotions;
- Prendre confiance en soi, arrêter d'appréhender ses crises de panique ou de phobie;
- Avoir un meilleur sommeil et une meilleure détente;
- Et par le fait même, avoir une meilleure qualité de vie.

REMARQUE

Si vous avez l'habitude de respirer par la bouche, ne vous fatiguez pas à vouloir respirer seulement par le nez car vous risquez de manquer d'énergie. Vous devez plutôt apprendre à mieux respirer par le nez en pratiquant la gymnastique respiratoire.

L'APPAREIL RESPIRATOIRE

Avant de nous aventurer dans la présentation de ces méthodes de respiration, je crois pertinent d'étudier ou de revoir ensemble notre système respiratoire. Il est bon en effet de se rafraîchir la mémoire.

Tout le monde sait qu'il faut respirer pour vivre. L'air est indispensable à l'entretien de la vie de l'homme et c'est pourquoi nous insistons tant pour en sauvegarder sa qualité. Le sang doit être saturé d'oxygène pour remplir ses fonctions nutritives et régénératrices dans l'organisme. À chaque respiration, le corps doit rejeter le gaz carbonique qui est nuisible, voire même poison. Il est donc essentiel que le corps en soit débarrassé le plus rapidement possible puisque sinon, le sang deviendrait vite impropre à nourrir et à entretenir le corps. Le rôle des organes de la respiration consiste donc à absorber l'oxygène de l'air de l'atmosphère et à rejeter le gaz carbonique.

LES POUMONS

Il faut ici parler des poumons. Je ne vous apprendrai rien en vous disant qu'ils constituent l'organe principal de la respiration. Ils reçoivent du cœur le sang qui doit être vivifié par l'oxygène et débarrassé du gaz carbonique, comme je le mentionnais plus haut. L'intérieur des poumons doit être en contact avec l'air pour permettre les échanges avec le sang. Ce contact est rendu possible grâce aux fosses nasales, au pharynx et à la trachée-artère.

L'INSPIRATION

Le renouvellement de l'air dans les poumons s'effectue par l'inspiration et l'expiration, deux mouvements qui rappellent le mécanisme du soufflet de forge. Cependant, tous ces mouvements respiratoires sont en partie volontaires et en partie involontaires. Ordinairement, nous respirons sans l'intervention de la volonté mais celle-ci peut modifier la puissance de l'inspiration. Il existe toute une série d'autres muscles auxiliaires qui agissent pour accroître le volume de la poitrine, mais je ne m'arrêterai pas à ces détails.

Voyons, le plus simplement possible, comment l'air entre dans les poumons. Ce sont les muscles inspiratoires qui produisent l'inspiration pendant que le diaphragme et les muscles intercostaux agrandissent la poitrine. Le poumon, adjacent aux parois latérales, doit suivre leurs mouvements et s'agrandir proportionnellement. C'est ainsi que l'air pénètre dans les poumons. La masse d'air arrive dans les vésicules pulmonaires par les fosses nasales, le pharynx et la trachée-artère.

L'EXPIRATION

L'expiration se répète à un rythme régulier par le relâchement des muscles inspirateurs. Quand ceux-ci cessent d'agir, les parois de la poitrine reprennent leur position d'équilibre grâce à leur poids, à leur élasticité et à celle des poumons,. Le volume du thorax diminue et avec lui décroît l'espace occupé par les poumons. Une partie de l'air qu'ils contenaient s'échappe par les conduits aériens. Ce

n'est que dans le cas d'expiration vio-
lente, s'il s'agit par exemple de la produc-
tion de cris, que les muscles agissent pour
diminuer le volume de la poitrine. Les
muscles abdominaux exercent alors une
action décisive. Ils se contractent, dimi-
nuent l'espace abdominal et compriment
ainsi plus fortement le diaphragme vers la
cavité thoracique.

Pendant que ces mouvements se
produisent sur les parois de la poitrine, les
cordes vocales et les ailes du nez palpitent
et la glotte s'ouvre largement. Les mouvements des ailes du nez démontrent plus
d'intensité quand l'air respirable manque
ou lorsqu'il existe une cause d'essoufflement.

S'il est vrai que l'inspiration et
l'expiration sont les deux phases de la
respiration, à mon avis, l'expiration est la
plus importante. Le nombre des mouve-

ments respiratoires varie considérablement selon les individus, leur âge et leur sexe. Chez l'homme jouissant d'une bonne santé, le phénomène se renouvelle 15 ou 16 fois par minute, voire davantage, une inspiration plus longue succédant à plusieurs inspirations courtes. Les activités ou les réactions du corps telles que la course, l'ascension de montagnes ou d'escaliers, la danse, les excitations, les émotions, la joie et la terreur contribuent à augmenter notablement le nombre des respirations, tandis que ce dernier diminue chez l'homme couché ou endormi. De même l'âge, la digestion, la température et l'air ambiant exercent une grande influence sur la respiration. L'enfant nouveau-né respire environ 44 fois par minute. Quand l'homme arrive à toute la force de l'âge des 30 à 50 ans, il respire moins souvent; puis plus tard encore, la respiration devient plus fréquente. Certaines maladies comme par exemple, les accès de fièvre et quelques affections des organes respiratoires ou cardiaques, peuvent nous amener à respirer jusqu'à 60 fois et plus par minute alors que dans d'autres cas, la respiration est ralentie. L'inspiration dure toujours moins longtemps que l'expiration. À l'état normal, la respiration demeure peu profonde, mais elle peut le devenir davantage sous l'influence d'une excitation ou d'un besoin.

ÉCARTS CARACTÉRISTIQUES

Le mécanisme de la respiration présente bien des écarts caractéristiques, selon des circonstances volontaires ou involontaires.

a) **La toux** est volontaire ou indépendante de la volonté et même dans ce dernier cas, elle peut encore être dirigée d'une certaine façon.

b) **L'éternuement** est une expulsion d'air par le nez, soudaine et saccadée. Quand on se mouche, le nez chasse le mucus et les corps étrangers au dehors, violemment et avec bruit par des expirations saccadées.

c) **Le ronflement** se produit quand on respire la bouche ouverte en dormant.

d) Pour **se gargariser**, on fait sortir lentement l'air des poumons, à travers un liquide retenu dans le gosier entre la base de la langue et le voile du palais, la tête étant légèrement renversée en arrière.

e) **Les pleurs** sont provoqués par des émotions. L'inspiration et l'expiration sont tantôt courtes, tantôt prolongées; la glotte se resserre, les muscles du visage et de la mâchoire sont relâchés.

f) **Le soupir** est une inspiration profonde produite le plus souvent par la bouche et suivie d'une expiration de même nature, accompagnée de sons plaintifs. Il est souvent involontaire et provoqué par des souvenirs douloureux.

Souvent les gens retiennent leur respiration à cause du stress et le soupir devient une respiration de «dépannage».

g) **Le rire** consiste en une série d'expirations courtes se succédant avec rapidité à travers les cordes vocales tendues; elles sont accompagnées de sons caractéristiques et inarticulés dans le larynx. Le rire est, le plus souvent, involontairement provoqué par l'imagination ou le chatouillement et peut être réprimé dans une certaine mesure par la volonté.

h) Enfin, **le bâillement** consiste en une ou plusieurs inspirations profondes et prolongées, faites la bouche largement ouverte, de même qu'en des expirations plus courtes souvent accompagnées de sons prolongés. Il est provoqué par le sommeil, l'ennui, etc. Il est involontaire et souvent contagieux.

L'OXYGÈNE : LA VIE

Les deux poumons remplissent la plus grande partie de la cage thoracique. Ce sont des organes arrondis, volumineux et de texture spongieuse qui n'ont pas une structure identique. La face interne du poumon gauche est creusée plus profondément que celle du droit, pour abriter le cœur. Le poumon gauche se divise seulement en deux grands segments ou lobes tandis que le droit en possède trois. À la face intérieure on trouve, au tiers moyen et près du bord postérieur, une entaille profonde pour la racine du poumon. Là se réunissent les organes spéciaux de la respiration que sont les bronches, les artères, les veines, les nerfs et les vaisseaux nourriciers du poumon.

L'oxygène est indispensable à la vie. L'homme ne peut ni respirer ni vivre dans une atmosphère qui en renferme peu. Quand le sang reçoit peu d'oxygène ou qu'il en reçoit moins, on voit se produire des phénomènes d'asphyxie qui finissent par provoquer la mort.

LA MÉTHODE RESPIRATOIRE
À l'aube de l'an 2000, bien des gens font face au stress, à l'angoisse, aux migraines et même à l'insomnie partielle ou totale. Comme source de soulagement, certains trouvent une échappatoire dans la boisson ou la drogue et beaucoup d'autres, dans la consommation des produits pharmaceutiques gardés au domicile. Cela ne fait malheureusement que mas-

quer le problème. S'ils tentaient plutôt d'acquérir le contrôle de leur respiration...

Avec la technique que je préconise, qui est une technique personnelle, je constate que ces exercices soulagent et font disparaître en peu de séances, l'insomnie, l'angoisse, le stress et tous les petits malaises qui assaillent les femmes ou les hommes d'affaires et tous ceux et celles qui assument des responsabilités. Cette méthode de gymnastique respiratoire apporte la joie de vivre. N'oublions pas que **la nourriture du sang c'est l'oxygène que l'on respire**. Et l'oxygène nous l'absorbons comme on prend un plaisir. En général, l'être humain n'utilise pas la moitié du potentiel que tout l'appareil respiratoire est à même de lui donner. Il faut apprendre à mieux respirer et plus encore décontracter sa respiration. C'est la clef de la santé.

RETROUVER LE GOÛT DE VIVRE

Les déprimés et les angoissés ne respirent pas même assez pour avoir le goût de vivre. Leur respiration est tout simplement limitée à la poitrine. Ces malades n'ont plus d'énergie pour lutter, ils n'ont plus de réserve. Ils se cramponnent à une toute petite réserve d'air, bien insuffisante pour apporter un soulagement. Il faut aller chercher cette nourriture précieuse qu'est l'oxygène. Ça demande de la motivation et de la persévérance.

On doit comprendre que le stress épuise, ronge toute l'énergie et prédispose à toutes sortes de maladies. Un apport insuffisant d'oxygène aux organes essentiels du corps humain tels que les poumons, le cœur et aux précieuses cellules du cerveau prédispose à la maladie. Souvenons-nous que presque toutes les maladies sont d'origine émotive. Pour cette raison, il est très important de

prendre conscience de tout ce qui bouge
en nous, de cette énergie qui coule en
nous, et de ressentir ce bienfait de l'oxygène qui circule dans nos veines.

Recommençons notre vie à chaque jour, oublions le passé !

PRATIQUE RESPIRATOIRE
Rappelons-nous que la santé dépend
d'une respiration libre et décontractée. La
pratique respiratoire permet le développement de la capacité pulmonaire et
favorise le repos du cœur, cet organe si
précieux. La respiration aide à vaincre le
stress et apporte une grande provision
d'oxygène, ce qui a pour effet de régénérer le sang et les cellules du cerveau.
C'est l'oxygène qui nourrit les nombreuses cellules nerveuses du corps. C'est
l'oxygène qui nourrit le sang, nourriture
précieuse et capitale pour une bonne
santé. Une cellule privée d'oxygène, ne

serait-ce que pendant une seconde, meurt. Nous pouvons vivre trois semaines sans nous nourrir, mais sans oxygène, c'est la mort presque instantanée. Le plus important est sûrement la nourriture du sang, l'oxygène. C'est le carburant de la bonne santé et de la bonne humeur.

La pratique quotidienne de la respiration nous permet de faire provision d'oxygène, ce qui a pour effet de régénérer les cellules du cerveau. Il faut savoir écouter attentivement sa respiration, même pendant une lecture ou une promenade et cela, particulièrement avant de s'endormir, procure un repos réparateur. La preuve en est faite depuis longtemps. Savez-vous pourquoi vous êtes angoissé ? Savez-vous pourquoi vous souffrez d'insomnie ? Savez-vous pourquoi vous avez des maux de tête ? La réponse à ces questions est que certains malaises seraient imputables à une insuffisance d'oxygène dans le sang. Alors détendez-vous, respirez en profondeur et soyez heureux.

DONNEZ-MOI DE L'OXYGÈNE

Comme le dit la chanson, il nous faut de l'oxygène et l'oxygène vient par la respiration. Il n'y aurait plus de petites maladies si chacun connaissait les merveilles et les techniques de la respiration. Savoir respirer de façon détendue, c'est le secret de l'énergie car notre vie repose sur l'inspiration et l'expiration. Il faut retrouver l'harmonie de la respiration. C'est à l'intérieur de soi qu'on la retrouve cette harmonie. Une saine respiration demeure un besoin des temps modernes. Quoi de plus merveilleux que de faire la méditation en développant la conscience de son propre souffle ! Voilà un mantra très personnel qui vous appartient, ne cherchez pas ailleurs. Écoutez attentivement le son de votre respiration. Écoutez votre respiration avec beaucoup d'amour et de respect puisque sans elle, votre valeur humaine s'en trouve diminuée. Apprendre à aimer le souffle de la vie, le sien, c'est respecter sa propre vie.

TÉMOIGNAGES

Je reçois beaucoup de courrier. Avec la permission des auteurs, j'ai pensé vous faire connaître leurs témoignages tout au long de ces pages. Ces gens qui sont venus étudier la technique de respiration avec moi justifieront, mieux que moi, l'efficacité de cette technique.

━━

Laval, juin '97

Aqua-Mer est un centre de remise en forme et de ressourcement d'énergie par la thalassothérapie.

Situé à Carleton-sur-Mer, dans la Baie des Chaleurs, le centre a toujours voulu que sa clientèle profite pleinement des qualités exceptionnelles de son climat marin.

Convaincue par une expérience personnelle très bénéfique au moment où je traversais une période d'activités excessives, j'ai dû avoir recours aux méthodes naturelles de «gymnastique respiratoire» enseignées par madame Géraldine Gagné.

Cette technique, maintenant connue et utilisée aux États-Unis et dans plusieurs pays d'Europe, m'a fait comprendre et expérimenter l'importance capitale de mieux respirer. L'air c'est la vie, mais encore faut-il savoir le capter, se l'approprier pour recouvrer, par la joie de bien respirer, le bien-être d'une bonne santé, celle du corps et de l'esprit.

Dans l'effervescence d'une époque où la vie est de plus en plus trépidante et exigeante, les clients d'Aqua-Mer nous arrivent souvent stressés, angoissés et à bout de souffle. C'est ainsi qu'à la lumière de mon expérience et de *mes convictions, nous avons cru bon de nous associer à madame Gagné pour faire connaître les différents exercices de «gymnastique respiratoire».*

Pour ce faire, son volume Apprendre à mieux respirer *a été placé dans chacune des chambres à la disposition des clients. De plus, les marches matinales au bord de la mer ou en montagne sont des occasions privilégiées pour se familiariser avec les différents exercices qui se sont également avérés très efficaces dans la cure antitabac. Le témoignage de satisfaction de la plupart de nos clients laisse prévoir, tel que souhaité, que la gymnastique respiratoire deviendra pour plusieurs «un mode de vie».*

Yolande Dubois
Directrice du Centre Aqua-Mer, Carleton.

TÉMOIGNAGE D'UNE PERSONNE SOUFFRANT D'AGORAPHOBIE

Montréal, décembre '96

Je m'appelle Claudia. Je suis comédienne, j'ai 27 ans et je souffre d'agoraphobie. J'ai commencé à faire des crises de panique, d'angoisse et d'anxiété à l'âge de 12 ans environ. Ma première crise est survenue sans crier gare, en pleine nuit à mon chalet d'été. Je manquais d'air et je n'étais plus capable d'avaler ma salive. Une proche qui avait déjà vécu le même problème m'a donné des calmants qu'elle prenait à l'occasion.

À partir de ce moment, les Ativans n'ont jamais quitté mes poches et j'en prenais au besoin. J'ai vécu avec ça jusqu'à l'âge de 23 ans... J'avais des hauts et des bas et toujours les poches bien remplies! Tranquillement, j'avais éliminé plusieurs endroits : le métro, les tunnels, les ponts et même la cafétéria du Cégep. Parfois, j'avais même de

la misère à assister à mes cours, quand ceux-
ci se donnaient plus haut que le deuxième
étage parce que j'avais peur des hauteurs.

Il y a environ trois ans, j'ai fait une terrible
rechute. C'était tout à coup tellement fort que
j'arrivais à peine à me traîner jusqu'au
dépanneur du coin et je n'étais même plus
capable d'être seule chez moi. J'étais totalement découragée. J'avais besoin d'aide, mais
je ne savais pas où aller la chercher. J'ai ren-
contré plusieurs psychologues et psychiatres
mais ça ne collait pas avec mon mal. Ce que
je voulais, c'était surtout me procurer les
outils nécessaires pour fonctionner et avoir
une certaine qualité de vie.

À force de consulter, j'ai réussi à fonctionner
un peu mieux, mais j'étais souvent découragée et exténuée à force de me battre. Tous ces
combats m'amenaient à être dépressive ce
que, à 25 ans, je n'acceptais pas; et en plus,
les gens ne comprenaient pas.

Au mois de mai 1996, à l'aube de mes 27 ans, j'étais tellement au «bout du rouleau» que j'ai pensé me suicider. Je ne pouvais concevoir que je continuerais à vivre en étant aussi mal dans ma peau.

C'est alors que je me suis décidée à faire appel à Géraldine Gagné. En l'espace de cinq mois, je n'étais plus la même. J'étais de plus en plus fonctionnelle et j'avais acquis une très grande confiance en moi, la confiance de m'en sortir enfin et de mordre dans la vie à belles dents.

J'ai suivi le cours de gymnastique respiratoire donné par Géraldine. Un simple cours pour apprendre à respirer. Je vous jure que ce ne sont pas seulement les agoraphobes qui en ont besoin !. Nous pensons tous évidemment savoir respirer, mais il faut absolument suivre le cours de Géraldine pour connaître le vrai sens du mot «respiration». Personnellement, ce cours a été une révélation pour moi.

J'espère que mon vécu encouragera les jeunes. Après avoir touché le fond, je suis mainte-

nant convaincue qu'on peut arriver à refaire surface, la tête haute.

Claudia Paquette
Comédienne

———

TÉMOIGNAGE
D'UNE ASTHMATIQUE...

Je voudrais ici donner un espoir aux personnes asthmatiques qui pensent qu'il n'y a pas vraiment de solution pour améliorer leur état de santé et qu'elles doivent se résoudre à vivre avec l'asthme.

Je suis âgée de 30 ans et j'ai commencé à faire des crises d'asthme à l'âge de 12 ans. Depuis les cinq dernières années, j'ai dû être hospitalisée à deux reprises. L'an dernier, ma crise était si aiguë que j'ai dû être confinée sous un respirateur artificiel pendant une semaine. Et vous qui pensiez que votre cas était désespéré! Si vous voulez vraiment changer certaines de vos habitudes de vie et surtout apprendre à respirer, vous ne pourrez que constater les bienfaits de la pratique régulière de la gymnastique respiratoire. Vingt minutes par jour pour pouvoir respirer librement ça vaut la peine. Ce que je peux vous dire, c'est que j'ai doublé ma capacité pulmonaire qui n'était que de 45 % au mois de mai et qui est maintenant à 90 %. Pas si mal pour quelqu'un qui ne savait pas respirer !

Line

━━━

TÉMOIGNAGE
D'UNE INSOMNIAQUE

Géraldine,

Permets-moi de venir aujourd'hui te donner mon appréciation concernant le cours que tu m'as donné pendant cinq semaines.

Tu as donné à mon corps la possibilité de pouvoir mieux respirer, chose qu'il ne savait pas. Je respirais comme tout le monde, juste assez pour vivre, mais jamais en profondeur. Je ne savais pas qu'avec une respiration profonde et consciente, je pouvais me décompresser, me relaxer, et en pensant à cette respiration, je pouvais également oublier tous les tracas de ma journée.

Moi qui avais de la difficulté à dormir parce que je pensais continuellement à mon travail, je n'arrivais jamais à passer une nuit sans me réveiller une dizaine de fois. Maintenant, avec les exercices de respiration que je fais quotidiennement et en ajoutant la détente guidée de la cassette de relaxation que j'écoute avant de dormir, je retrouve mes nuits d'antan sans me réveiller. Si je suis tendue à mon travail, je fais quelques respirations et le tour est joué.

Je te remercie Géraldine de m'avoir permis de changer mes habitudes de vie, de m'avoir appris à ralentir tous mes mouvements et aussi de m'avoir donné les moyens nécessaires pour y arriver.

À tous ceux qui auront la chance, comme moi, d'apprendre à mieux respirer, je leur souhaite mes meilleurs vœux.

Suzanne

TÉMOIGNAGE D'UNE ANGOISSÉE

Chère Madame Gagné,

J'ai 35 ans. Pendant neuf ans, j'ai cherché quelque chose ou quelqu'un qui pourrait m'aider à trouver le moyen de chasser cette angoisse qui ne me quittait jamais. En plus, il y avait ce mal de tête qui durait depuis trois mois. J'avais l'impression de ne jamais pouvoir m'en débarrasser. Je voulais vivre pleinement ma vie.

Pendant toutes ces années, à l'insu de ma famille qui n'a jamais su comment je me sentais intérieurement, j'ai cherché. Je savais que le gros du chemin c'est moi qui devais le faire, mais j'ignorais quel moyen prendre.

Aucun médecin, aucun médicament ne pouvaient me donner ce que je voulais. J'ai prié Dieu longtemps pour qu'Il m'aide à trouver la «solution». Et tout à coup, j'ai vu votre annonce dans le journal sur «le souffle qui nettoie». J'ai senti que c'était exactement ce qu'il me fallait. Cette fois-ci, je ne m'étais pas trompée !

Vous m'avez fait découvrir des forces que je ne me connaissais pas et tout le potentiel qui dormait au fond de moi.

Je sais que ce n'est pas fini, qu'il faut que j'entretienne mon corps et mon esprit pour être en forme physiquement et mentalement. Mais vous m'avez donné les «outils» dont j'avais besoin et que je cherchais depuis si longtemps.

Merci pour tout.

Francine

NOTE DE L'AUTEUR

Dans ce livre, vous retrouverez les cinq programmes corrigés et révisés des techniques respiratoires publiés dans mon premier volume. J'ai jugé bon de les répéter pour tous ceux qui ne posséderaient pas le premier volume parce que, sans elles, ce deuxième volume serait incomplet.

Lorsque j'enseigne, j'adapte mon cours à l'individu qui est devant moi. Que ce soit à un homme ou à une femme, la **gymnastique respiratoire** vient en aide pour tout problème de santé causé ou aggravé par le stress.

Pour les besoins du livre, j'ai présenté les programmes de telle façon que l'apprentissage soit le plus simple possible pour le lecteur qui veut apprendre chez lui et à son rythme comment mieux respirer.

Ayez toujours en tête que vous pouvez l'adapter vous-même à vos besoins et à vos capacités. Rappelez-vous : **ne jamais se fatiguer, ne jamais s'essouffler.**

Lorsque les exercices proposés s'effectuent en position assise, installez-vous de façon à avoir la colonne et la région lombaire tout à fait détendues. Pour ce faire, vous pouvez installer un petit banc sous vos pieds. Sinon, assurez-vous d'avoir les pieds bien à plat sur le plancher.

Pour les exercices qui se font en position debout, il est important d'être bien stable. Pour un meilleur équilibre, faites ceci : pieds joints, ouvrez la pointe des pieds puis les talons. Vos pieds sont alors alignés avec vos épaules. D'autre part, fléchissez toujours légèrement les genoux pour ménager votre région lombaire.

Quand les exercices s'effectuent en position allongée, vous devez toujours vous assurer de ne pas fatiguer votre région lombaire et de ne forcer aucun muscle dorsal. Pour vous coucher sur le dos, allongez-vous sur le côté en vous aidant de vos mains et de vos bras et retournez-vous sur le dos lentement. Et pour vous lever, mettez-vous sur le côté, pliez les jambes et relevez-vous lentement en vous aidant de vos mains et de vos bras.

Souvenez-vous toujours qu'il ne s'agit pas de performer. **Allez-y à votre rythme et selon vos capacités !**

TECHNIQUES RESPIRATOIRES

PREMIER PROGRAMME

Le premier exercice consiste à détendre les vertèbres cervicales (la nuque) qui constituent le centre nerveux le plus important. Vous remarquerez que cette région est constamment tendue et contractée à cause des tâches quotidiennes que nous accomplissons. La respiration détend efficacement cette région, siège de nombreuses tensions. En effet, nous mettons continuellement à contribution les vertèbres cervicales quels que soient les travaux exécutés. On se rend bien compte qu'une tension continue provoque des maux de tête, des crispations aux épaules et au cou et nuit à la bonne circulation sanguine.

EXERCICES
DU PREMIER PROGRAMME
Avant de passer au programme, il est
conseillé de faire quelques exercices.

     Assoyez-vous. Fermez les yeux et
détendez-vous quelques minutes.

PREMIER EXERCICE :
PRESSION DES TEMPES

Voici un exercice facile que vous devez
faire en douceur. En position assise, vous
placez la paume de la main droite sur le
côté de la tête. Vous penchez légèrement

la tête du côté gauche, à peine un pouce (2.5 cm), sans aucun effort. Vous bloquez la tête et vous poussez avec la main pour créer une légère résistance, puis vous relâchez lentement. Ensuite, vous refaites l'exercice avec l'autre main. Vous le répétez quatre fois (ou moins) en alternant pour garder un meilleur équilibre de la décontraction.

Remarquez bien que c'est la paume de la main qui pousse légèrement la tête.

Je le répète, ces mouvements se font lentement et en douceur. Si vous entendez des craquements, soyez sans crainte, c'est normal; c'est que le travail de la détente se fait. Mais attention, la pression exercée par la paume de la main doit être effectuée sans jamais forcer, la tête ne doit pas trembler.

DEUXIÈME EXERCICE :
PRESSION FRONTALE

Toujours en position assise, vous placez la paume de la main sur le front. Laissez tomber les épaules et détendez-vous. Vous penchez la tête légèrement vers l'arrière, à peine un pouce (2.5 cm). Poussez doucement sur votre front tout en créant une résistance, puis relâchez. Changez de main et répétez l'exercice quatre fois (ou moins) en alternant. Prenez votre temps. Gardez toujours le visage bien droit en avant. Si l'exercice est bien fait, vous devriez ne ressentir aucune douleur.

TROISIÈME EXERCICE :
PRESSION DU MENTON

On garde la même position, toujours
assis. Vous fermez la main. Vous placez le
petit trou (formé par le pouce et l'index)
sous votre menton. Ensuite vous penchez
délicatement la tête vers l'arrière, à peine
un pouce (2.5 cm). Bloquez la tête, poussez avec la main et relâchez tout en douceur. Répétez quatre fois (ou moins) en
alternant, une fois avec la main gauche,
une fois avec la main droite. Si des craquements se font entendre, ne vous

alarmez pas, ce sont les tensions qui s'en vont. Mais vous ne devriez ressentir aucune douleur. Si tel n'est pas le cas, vous forcez probablement trop. Douceur est le mot d'ordre.

QUATRIÈME EXERCICE : INCLINAISON DE LA TÊTE VERS L'AVANT

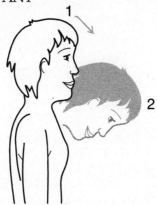

Position assise. Penchez très doucement la tête vers l'avant en essayant de faire pénétrer le menton dans la poitrine, sans forcer. Attendez quelques secondes et sentez l'étirement au niveau de la nuque. Remontez tranquillement. Répétez quatre fois (ou moins). Si vous avez tendance à être étourdi, faites cet exercice les yeux ouverts.

CINQUIÈME EXERCICE : INCLINAISON DE LA TÊTE DE CHAQUE CÔTÉ

Position assise. Détendez-vous. Pratiquez ces exercices toujours lentement et en douceur. Inclinez la tête vers l'épaule sans aller loin, comme si vous vouliez toucher votre épaule avec votre oreille. Attendez quelques secondes et sentez l'étirement. Remontez lentement puis inclinez vers l'autre côté. Répétez quatre fois (ou moins) en alternant. Lors de ces exercices la tête doit demeurer dans l'axe du corps, c'est-à-dire le menton toujours en face,

sinon vous créez une torsion à l'arrière.
Au début, pratiquez l'exercice devant un
miroir. Cela vous aidera grandement.

SIXIÈME EXERCICE :
ROTATION DE LA TÊTE

Position assise, la tête bien droite. Vous
penchez la tête vers l'épaule, puis lentement, en gardant l'axe d'inclinaison, vous
la laissez pencher vers l'avant. Transférez
le poids de votre tête vers l'autre côté en
remontant tranquillement, en gardant le
menton bien en face. Répétez deux fois

dans un sens, deux fois dans l'autre. Si vous êtes facilement étourdi, ne répétez qu'une fois dans un sens, une fois dans l'autre. Le cou doit demeurer bien droit. C'est seulement la pesanteur de la tête que vous faites basculer. Et assurez-vous de ne jamais pencher la tête vers l'arrière. Allez-y en douceur.

SEPTIÈME EXERCICE :
ROTATION DES BRAS

Position assise ou debout, selon votre choix. Allongez les bras en croix, les mains ouvertes. Exécutez 10 petites rotations (ou moins) dans un sens et 10 (ou moins)

dans l'autre. Descendez les bras de chaque côté. Vous remarquerez que vos muscles du dos et des épaules se détendent parfaitement. Répétez trois fois, ou selon votre capacité. J'insiste sur le fait que les rotations doivent être petites, le but de cet exercice n'est pas de s'envoler !

HUITIÈME EXERCICE : HAUSSEMENT DES ÉPAULES

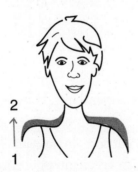

Pour ce genre d'exercice, il est préférable d'être debout et d'avoir les jambes légèrement écartées. Haussez les épaules et laissez-les tomber. Répétez de 10 à 15 fois cet exercice ou selon vos capacités. Évitez de forcer le cou et la tête.

NEUVIÈME EXERCICE : ROTATION DES ÉPAULES

Toujours debout, les jambes légèrement écartées, bras pendants. Vous haussez les épaules puis vous poursuivez le mouvement vers l'arrière, puis vous descendez. Vous revenez en avant, puis vous remontez. Vous répétez ce mouvement de rotation deux fois vers l'arrière et deux fois vers l'avant. Les bras demeurent ballants le long du corps.

PREMIER PROGRAMME :
LA RESPIRATION CONSCIENTE

REMARQUE

Une respiration comprend une inspiration et une expiration. Rappelez-
vous qu'inspirer c'est remplir ses poumons d'air et qu'expirer c'est vider l'air
de ses poumons.

Avez-vous déjà observé quelqu'un dormir? Observez une personne physiquement fatiguée, enfant ou adulte, qui dort
profondément. Écoutez sa respiration. Eh
bien ! la respiration consciente, c'est ni

plus ni moins la respiration du dormeur.
Ne pas le confondre à celui qui dort la
bouche ouverte et qui ronfle.

Installez-vous d'abord confortablement en position allongée sur votre lit. Si
vous vous sentez mal à l'aise, vous pouvez
vous asseoir sur votre lit et bien vous
adosser.

Pour pratiquer la respiration consciente, on utilise un son produit par une
légère contraction du larynx qui aide à
décontracter les vertèbres cervicales.

Voyons comment pratiquer ce son:

1- On utilise la lettre «E». Chuchotez sur
   le bout des lèvres «E», comme si vous
   le disiez à l'oreille de quelqu'un. Faites-
   le en douceur, sans effort intérieur.
   Répétez-le.

2- Fermez la bouche, inspirez en douceur.
Faites maintenant sortir ce même son par
le nez, en expirant lentement et sans
forcer. Si vous ne réussissez pas du premier coup, ne vous en faites pas, c'est tout
à fait normal.

Chuchotez de nouveau la lettre «E» en
expirant. Soyez attentif à l'air qui circule dans votre gorge. Portez attention
au son de cette vibration.

De nouveau, fermez la bouche et presque silencieusement en expirant, faites
sortir cette vibration par le nez. Écoutez. Si le rythme est saccadé, ne vous
en faites pas. C'est simplement le reflet
d'un stress intérieur. Tranquillement,
essayez de rendre cette vibration plus
régulière, telle une note de musique
sur une même intensité.

3- Une fois de plus, vous expirez en
douceur par le nez avec le son «E».

Écoutez attentivement le son que vous faites. Enchaînez aussitôt avec une inspiration tout en produisant votre son et terminez avec une expiration. Si les premières fois quelques petites notes se font entendre, c'est que votre gorge se contracte. Ne vous découragez pas. C'est une question de pratique et de lâcher prise.

Pour percevoir plus facilement le petit son «E» au moment de l'apprentissage, bouchez-vous les oreilles pour mieux l'entendre.

4- Repos : pour éviter d'être essoufflé ou étourdi, je vous conseille d'attendre un peu, de prendre deux ou trois respirations normales avant de reprendre votre pratique.

5- Pratiquez deux respirations conscientes et reposez-vous en respirant normalement. Puis, après quelques secondes, recommencez.

REMARQUE

Je vous recommande de faire la respiration consciente au lit avant le sommeil. Pratiquez deux respirations conscientes à la fois, puis reposez-vous en respirant normalement trois ou quatre fois et répétez. Ne faites jamais plus de huit respirations conscientes. Rappelez-vous toujours de ne pas vous fatiguer ni de vous essouffler. Relaxez-vous et laissez venir le sommeil.

Une fois que vous serez plus habitué, vous ne ferez plus la respiration consciente le soir au coucher, elle sera remplacée par le souffle qui nettoie. Vous pourrez toutefois pratiquer la respiration consciente une ou deux fois par jour, au besoin.

Avant de passer au deuxième programme, je vous recommande de pratiquer le premier programme pendant au moins une semaine.

REMARQUE

Pour vous reposer, frottez légèrement vos mains ensemble, lentement et dans le sens des aiguilles d'une montre. Ceci aide à développer le magnétisme, car nous en avons tous ! Placez ensuite vos mains sur votre plexus solaire (sur votre ventre, en haut de la ceinture), cela vous calmera. Fermez les yeux, laissez tomber vos épaules et respirez normalement.

DEUXIÈME PROGRAMME

Maintenant que vous maîtrisez bien la respiration consciente, vous êtes prêt pour le souffle qui nettoie.

Voici la respiration idéale pour se débarrasser du gaz carbonique, des toxines que notre organisme emmagasine si facilement et du «négatif». Cette respiration nettoie l'organisme en profondeur, d'où son nom. De plus, la pratique quotidienne du souffle qui nettoie vous permettra d'agrandir votre capacité pulmonaire.

C'est la respiration tout indiquée pour les personnes qui retiennent tout en dedans leurs émotions, qui ne parlent jamais de ce qu'elles ressentent, de leur stress, de leurs frustrations et de leurs déceptions, etc. Ce souffle qui nettoie donne d'excellents résultats pour les problèmes liés au stress, à l'anxiété et à l'insomnie.

Les exercices qui suivent se font en accord avec la respiration consciente. Le premier mouvement d'un exercice se pratique toujours avec l'inspiration et quand on termine, on expire.

PREMIER EXERCICE :
OUVERTURE DES BRAS

Assoyez-vous. Allongez les bras devant vous et placez les mains l'une contre l'autre. Une fois en place, videz les poumons légèrement pour vous concentrer. Inspirez tout en ouvrant les bras vers l'extérieur (tournez aussi les mains vers l'extérieur). Expirez tout en revenant à la position départ. Répétez quatre fois ou moins.

Une fois que vous êtes habitué à faire cet exercice, vous pouvez retenir votre souffle pendant quelques secondes

après l'inspiration, cela permet à l'oxygène
de se rendre au cœur et aux poumons.

DEUXIÈME EXERCICE :
L'ÉLÉVATION

Levez-vous. Écartez les
jambes en fléchissant
légèrement les genoux.
Laissez vos bras allon-
gés le long de votre
corps. Videz les pou-
mons légèrement pour
vous concentrer. Ins-
pirez en levant les bras
bien au-dessus de la
tête : levez les yeux vers
le ciel pour regarder le
bout de vos doigts (sans
arquer la tête vers l'ar-
rière) et étirez-vous légèrement. Puis
expirez tout en penchant le corps vers

l'avant et en gardant les bras tendus. Inspirez de nouveau en remontant. Répétez, au maximum, quatre fois ou moins, selon votre capacité.

Terminez toujours l'exercice après avoir expiré.

REMARQUE

Quand vous levez les bras, vous sentez un étirement au niveau de la cage thoracique. Quand vous vous penchez vers l'avant, vous allez jusqu'où vous pouvez, mais ne forcez pas. Si vous avez facilement des étourdissements ou que vous êtes limité par un mal de dos, l'hypertension ou un autre malaise, faites cet exercice en position assise, sans pencher le corps vers l'avant.

TROISIÈME EXERCICE :
L'OISEAU

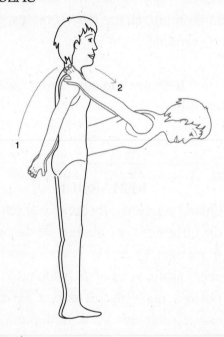

Levez-vous. Écartez les jambes puis fléchissez légèrement les genoux. Ensuite,
croisez les mains derrière votre dos. Videz
les poumons légèrement pour vous concentrer. Tout en inspirant, penchez-vous
vers l'avant jusqu'à ce que vous soyez à

l'horizontale. Pendant que vous retenez votre souffle, levez les bras (sans forcer) et baissez-les. Puis expirez en remontant votre corps. Répétez quatre fois au maximum, ou selon votre capacité.

Tout au long de l'exercice, la tête, les épaules et le dos doivent demeurer bien droits.

QUATRIÈME EXERCICE :
LA CHAISE
Toujours debout, vous appuyez le corps sur un mur. Avancez un peu les pieds. Puis écartez les jambes en gardant la tête, les épaules et le fessier collés au mur et, si vous le pouvez, les reins aussi. Videz légèrement les poumons pour vous concentrer. Inspirez

tout en descendant lentement. Ne descendez pas trop bas. Attendez quelques secondes et remontez en expirant. Répétez quatre fois au maximum ou selon votre capacité.

Évitez de descendre en collant les genoux. Cet exercice peut se faire à l'aide du dossier d'une chaise pour se soutenir et pour éviter de tomber.

DEUXIÈME PROGRAMME : LE SOUFFLE QUI NETTOIE

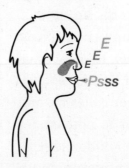

Allongez-vous confortablement.

1- Videz les poumons en expirant par le nez avec le son «E» de la respiration consciente. Lentement et sans forcer.

2- Inspirez par le nez, toujours avec le son «E».

3- Expirez par la bouche en laissant passer un petit filet d'air entre les lèvres et les dents. En expirant lentement, il s'agit de faire ce petit son : «psss...».

4- Inspirez de nouveau avec le son «E» de la respiration consciente.

5- Expirez lentement avec le «psss...», puis reposez-vous.

Laissez sortir le «psss..» aussi longtemps qu'il demeure régulier. Comme pour la respiration consciente, ne vous videz pas complètement car vous n'aurez pas le temps d'aller chercher le son «E» pour la prochaine inspiration.

À l'inspiration, vous pouvez vous dire intérieurement : «J'inspire de la confiance, de la joie, du bonheur....» Et à l'expiration, vous pouvez dire: «J'expire tout ce qui me nuit : les peurs, les toxines, le négatif, les soucis, la douleur et la maladie...»

Au début, si cette respiration vous fatigue trop, n'en faites qu'une à la fois.

REMARQUE

Le souffle qui nettoie se pratique au lit avant le sommeil et dans les moments de stress. Il ne faut jamais se fatiguer ni s'essouffler. Faites-en huit au total : deux à la fois, en respirant trois ou quatre fois normalement à chaque pose.

Pratiquez le premier et le deuxième programme pendant une semaine, avant de passer au troisième.

TROISIÈME PROGRAMME

EXERCICES

Les exercices suivants se font en respectant la respiration consciente. Chaque exercice commence avec l'inspiration et se termine avec l'expiration. N'oubliez pas de faire de la place dans vos poumons avant même de commencer les mouvements. Expirez donc lentement pour vous concentrer, puis commencez en inspirant.

Comme précédemment, les exercices de ce troisième programme viennent s'ajouter à ceux que vous pratiquez déjà.

PREMIER EXERCICE :
TRACTION CERVICALE DEBOUT

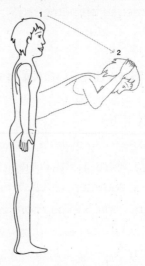

Debout, les jambes écartées et les genoux légèrement fléchis, vous penchez la tête vers l'avant. Croisez les mains derrière la tête (toujours sans pousser). Videz les poumons pour vous concentrer. Inspirez tout en inclinant le corps vers l'avant, lentement et doucement. Arrêtez au niveau de la ceinture ou avant. Fermez ensuite les bras en rapprochant les coudes (exercez une légère pression sur la tête de façon à créer une légère résistance), puis expirez tout en remontant tranquillement.

En remontant, c'est le menton qui se relève le dernier. Prenez le temps de sentir se dérouler votre colonne vertébrale en prenant soin de ne jamais forcer ni de sentir de la douleur. Si vous faites de l'hypertension, abstenez-vous de faire cet exercice.

DEUXIÈME EXERCICE :
ÉLÉVATION SUR
LA POINTE DES PIEDS
Placez-vous debout face au mur. Allongez les bras et étendez-les pour toucher au mur, les mains vis-à-vis des épaules. Gardez les jambes écartées en ne fléchis-

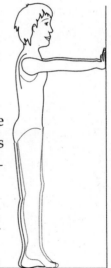

sant pas les genoux. La tête, les épaules et le dos sont droits. Videz légèrement les poumons pour vous concentrer. Inspirez en montant lentement sur la pointe des pieds. Attendez quelques secondes. Expirez en redescendant à la position normale. Répétez quatre fois.

Pendant l'exercice, décontractez bien les orteils. Si elles craquent, c'est qu'il y avait des tensions et cela passera. Cet exercice est très bon pour éliminer les crampes.

TROISIÈME EXERCICE : EXTENSION DES BRAS

Vous pouvez rester debout ou vous asseoir. Croisez les mains. La tête, les épaules et le dos restent droits. Videz les poumons pour vous concentrer. Inspirez en levant les bras au-dessus de la tête; en même temps, vous tournez gra-duellement les mains croi-sées vers le plafond. Étirez-vous doucement en gardant les mains croisées. Descendez les mains pour toucher la tête, puis les remonter deux ou trois fois en retenant votre res-piration. Expirez en redescendant les bras tranquillement. Répétez quatre fois au maximum ou selon votre capacité.

QUATRIÈME EXERCICE :
EXTENSION DES JAMBES

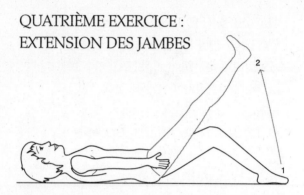

Étendez-vous sur le dos en gardant une jambe allongée et l'autre repliée. Mettez les bras de chaque côté du corps. Videz les poumons en expirant légèrement pour vous concentrer. Inspirez tout en montant la jambe allongée à la verticale. Attendez quelques secondes puis expirez en redescendant la jambe au sol. Changez de jambe. Répétez quatre fois (ou moins) en alternant.

Pendant l'exercice, le fessier ne doit pas bouger. Lorsque vous montez la jambe, le genoux doit être bien droit.

Décontractez le pied et les orteils; ne pointez pas le pied vers l'extérieur (cela nuit à la circulation). Cet exercice raffermit la région lombaire et les abdominaux.

TROISIÈME PROGRAMME :
LA RESPIRATION GLOUGLOU

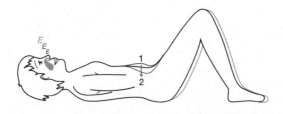

Si vous cherchiez un moyen pour aider votre digestion lente, vous l'avez trouvé ! Oui, la respiration glouglou aide considérablement la digestion et favorise le bon fonctionnement des intestins. De plus, cette respiration masse en douceur les organes internes comme le foie, le pancréas et les intestins, sans oublier le plexus solaire. (Souvenez-vous, c'est le centre des émotions). Elle est également très efficace pour raffermir les abdominaux.

Son nom original lui vient du fait que des petits glouglous se font généralement entendre lorsque vous pratiquez cette respiration. Si vous n'en entendez pas, ce n'est pas grave. Le travail s'effectue quand même.

Couchez-vous sur le dos et fléchissez les genoux, les pieds demeurant en contact avec le sol (pour éviter d'avoir les abdominaux tendus).

1- Videz les poumons en expirant lentement par le nez avec le son «E» (expiration consciente).

2- Faites une inspiration consciente, mais n'aspirez pas trop d'air si vous venez tout juste de manger.

3- Retenez votre respiration et pendant ce temps d'arrêt, sortez votre abdomen. Rentrez-le ensuite doucement de façon à avoir l'impression que l'estomac rejoint la colonne. Faites ce mouvement de rentrer-sortir de trois à cinq fois.

4- Arrêtez puis faites une **expiration consciente.** Reposez-vous. Puis répétez cinq fois ou moins, jamais plus.

REMARQUE

N'exagérez pas trop lorsque vous sortez l'abdomen, il ne faut rien forcer. D'autre part, la colonne, le fessier et le bassin doivent demeurer bien appuyés au sol pendant l'exercice. Seul l'abdomen travaille. Si vous éprouvez quelques difficultés à sentir la différence entre le «sortez» et le «rentrez», mettez les mains sur le ventre pour vous guider, mais sans pousser.

Pratiquez la **respiration glouglou** après un repas copieux ou indigeste. Si vous ressentez trop d'inconfort pour la faire immédiatement après le repas, patientez pendant une heure.

Les réveils nocturnes sont souvent imputables à une mauvaise digestion; faites alors la glouglou.

Le matin, juste avant le lever, cette respiration peut aider au bon fonctionnement des intestins.

Pratiquez le troisième programme pendant au moins une semaine avant de passer au quatrième.

QUATRIÈME PROGRAMME

EXERCICES
Encore une fois, les exercices de ce programme se font avec la **respiration consciente**.

> ### REMARQUE
> Comme ces exercices se font au sol, n'oubliez pas de vous allonger et de vous relever comme je le conseille au début du chapitre portant sur les techniques respiratoires et les exercices.

Comme pour les programmes précédents, allez-y à votre rythme. N'exigez pas de vous la performance idéale.

PREMIER EXERCICE :
TRACTION CERVICALE SUR LE DOS

Allongez-vous sur le dos, les mains croisées derrière la tête. Videz légèrement les poumons pour vous concentrer. Inspirez tout en soulevant la tête et en pliant la jambe. Retenez votre respiration quelques secondes, puis expirez en redescendant lentement. Répétez quatre fois en alternant.

Au moment de soulever la tête, ce sont les mains qui supportent le poids de la tête, les épaules lèvent à peine, le dos ne force pas et le menton se déplace légèrement vers la poitrine.

DEUXIÈME EXERCICE :
ÉTIREMENT DE LA COLONNE

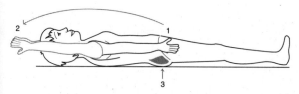

En position couchée, vous gardez les bras
allongés le long du corps. Vous videz légèrement les poumons pour vous concentrer, puis vous inspirez tout en levant les
bras bien tendus au-dessus de la tête.
Retenez votre souffle et étirez-vous en
soulevant légèrement le fessier (ne levez
pas trop haut). Expirez en redescendant.
Répétez quatre fois au maximum ou selon votre capacité.

Étirez les bras aussi loin que vous
le pouvez, mais ne forcez pas. Si le fessier
ne lève pas du sol, ce n'est pas grave. Vous
faites ce que vous pouvez.

TROISIÈME EXERCICE
ÉTIREMENT DE LA COLONNE
ET POINTES DES PIEDS RELEVÉES

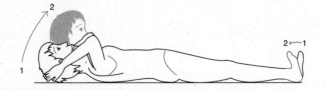

En position allongée, vous croisez les mains derrière la tête. Videz légèrement les poumons pour mieux vous concentrer. Inspirez et à l'aide des mains, soulevez la tête en pointant les orteils vers vous. Expirez tout en redescendant tranquillement (la tête et les pieds en même temps). Répétez quatre fois au maximum ou selon votre capacité.

À l'inspiration, le menton se déplace vers la poitrine mais ne soulevez pas le dos. Cet exercice est très efficace contre les maux de tête et les migraines de même que pour activer la circulation sanguine.

Pratiquez le troisième programme pendant une semaine avant de passer au quatrième.

QUATRIÈME PROGRAMME :
LE SOUFFLE DE LA MÉDITATION

La pratique du souffle de la méditation vous procure une paix et un calme intérieur. Évidemment, lorsqu'on vit ces moments de calme et de paix, on peut plus facilement se concentrer pour tout

travail intellectuel comme l'étude, la mé-
morisation, la composition, etc.

Assis confortablement :

1- Main ouverte, placez l'index au centre
du front. Massez légèrement sur place
dans le sens des aiguilles d'une montre.

2- Expirez et inspirez en exerçant la respiration consciente (le son «E»).

3- Retenez votre souffle et bouchez les
narines en mettant le pouce et le petit
doigt à l'entrée de chacune d'elles (ne
pas pincer le nez). Relevez le pouce et
expirez avec le son «E».

4- Inspirez par la même narine (la droite),
avec le son «E». Retenez votre souffle
et bouchez la narine avec le pouce.

5- Levez le petit doigt et expirez avec le
son «E». Inspirez par la même narine (la
gauche) avec le son «E» et ainsi de suite.

REMARQUE

Si l'une de vos narines est bloquée sans qu'il n'y ait de sécrétions, essayez ceci : d'une main, bouchez la narine qui respire bien et de l'autre, relevez la narine bloquée avec le pouce et l'index de manière à agrandir l'ouverture. Maintenant expirez et inspirez tranquillement avec la respiration consciente. Répétez quelques fois. Cela n'est pas très élégant, je vous l'accorde, mais très efficace. Vous pourrez ensuite suivre les étapes telles que décrites précédemment.

Il est très bon de pratiquer **le souffle de la méditation** tous les jours (matin, midi ou soir). Cette respiration pourra également vous aider à retrouver l'équilibre intérieur lors d'un conflit ou d'une épreuve.

CINQUIÈME PROGRAMME

PREMIER EXERCICE :
ROTATION DES COUDES

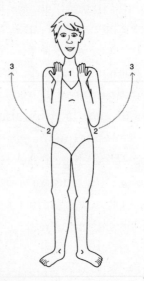

Les exercices de ce programme se font en respirant normalement.

Placez les deux mains sur les épaules. Levez les coudes à la hauteur du nez et tentez de les rapprocher sans forcer.

Faites ensuite le contraire en ouvrant largement les coudes pour faire un cercle dans un sens, puis dans l'autre sens. La tête suit le mouvement des bras, c'est-à-dire, quand les coudes se baissent, la tête se baisse et quand les coudes remontent, la tête remonte aussi.

Répétez quatre fois, ou moins, dans les deux sens.

DEUXIÈME EXERCICE :
ROTATION DES MAINS
Bras allongés, gardez les mains ouvertes. Faites se toucher les mains du côté des index. Descendez-les en formant un cercle pour revenir à la position bras allongés mais à l'inverse, puis en faisant pivoter les mains sur les poignets, revenez à la position de

départ. Répétez quatre fois ou moins, puis recommencez dans le sens contraire.

TROISIÈME EXERCICE :
ROTATION DES PIEDS
Amusez-vous à faire des cercles avec les pieds dans les deux sens. Répétez quatre fois ou moins.

QUATRIÈME EXERCICE :
ROTATION DES YEUX

Fixez-vous un point de mire au loin. Les bras tendus devant vous, pointez les deux index vers votre cible, puis faites de grands cercles avec les bras sans bouger les yeux ni la tête, c'est-à-dire, en fixant toujours votre point de mire. Ainsi vous travaillez sur votre champ de vision.

Répétez quatre fois ou moins dans les deux sens.

CINQUIÈME EXERCICE :
CHAMP DE VISION

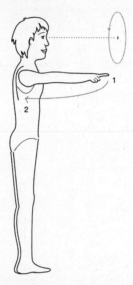

Fixez-vous un point de mire au loin. Les bras tendus devant vous, pointez les index vers votre cible. Ouvrez ensuite les bras, sans bouger la tête ni les yeux, jusqu'à la limite de votre champ de vision de façon à toujours voir vos doigts. Puis, revenez à votre position de départ.

Répétez quatre fois ou moins.

CINQUIÈME PROGRAMME :
LA RESPIRATION SACCADÉE

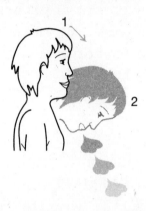

Cette respiration aide à faire remonter les sécrétions qui irritent les bronches lorsqu'elles ne sont pas éliminées. Les personnes éprouvant des problèmes d'asthme ou de bronchite s'en servent avec de très bons résultats.

1- Penchez-vous légèrement au-dessus d'un lavabo et respirez rapidement la bouche ouverte, comme un petit chien essoufflé.

2- Les sécrétions remontent tranquillement et vous pouvez les cracher. Si
elles ne remontent pas immédiatement, n'insistez pas; elles remonteront
probablement d'elles-mêmes dans
15 ou 20 minutes.

REMARQUE

Prenez soin de ne pas vous étourdir,
surtout au début. Ne pratiquez au
maximum que deux ou trois respirations saccadées. Si vous avez beaucoup de sécrétions au niveau de la
poitrine, vous pouvez faire du clap-
ping : tapotez légèrement la poitrine
avec les poings fermés. Pour terminer, buvez un verre d'eau car cela
aide à liquéfier les sécrétions.

TÉMOIGNAGE

Chère Géraldine,

Il me fait plaisir de te livrer mon témoignage concernant le cours de gymnastique respiratoire que j'ai suivi avec toi cet automne.

Ce qui m'a plu dès le départ, c'est ton dynamisme et ton optimisme. J'ai aimé tous les exercices que tu nous as fait faire avec la respiration consciente. J'ai pris conscience que je pouvais régler, par moi-même, le «nœud de tension» que j'ai derrière l'omoplate droite, ainsi que bien d'autres petites raideurs.

Grâce à des étirements sur la pôle et à la rotation de la tête, je me suis rendue compte cette semaine que si je faisais en même temps les exercices «du sourire» pour me faire des joues, la tension derrière l'omoplate s'accentuait légèrement.

Cette simple prise de conscience si-
gnifie beaucoup pour moi. J'ai l'intention
d'exploiter davantage l'exercice du «sourire»
accompagnée de la respiration consciente et je
demeure confiante qu'un résultat heureux va
survenir à différents niveaux de ma vie.

Merci Géraldine pour ce que tu es, tu
m'as beaucoup apporté. Je te salue et te souhaite bonne route et bon succès.

Lise

Bonjour Géraldine,

Je viens de terminer le Cégep. Je crois que je
vais avoir le plus beau bulletin de toute ma
carrière d'étudiante. Ton cours m'a beaucoup
aidée à garder le moral. Avant, je pleurais
souvent et je broyais du noir, mais maintenant
je suis heureuse et beaucoup moins nerveuse.

Je fais mes exercices tous les matins
sans exception. Je ne fais plus d'insomnie ou en

tous les cas, très rarement. J'écoute la cassette de relaxation une fois par semaine ou plus. Dans l'ensemble, je fais bien mes devoirs.

Je respire beaucoup mieux depuis un bon bout de temps. Ça fait tellement de bien de respirer comme tout le monde. Quand je sens venir une crise de panique, je la contrôle dès le début. La seule peur qui me hante, c'est le travail. J'ai peur de ne pas être capable d'y faire face. Je ne suis pas très forte physiquement. J'essaie de me motiver.

Je te remercie pour le grand service que tu m'as rendu. Tu as changé ma vie.

Isabelle

La gymnastique respiratoire enseignée par Géraldine Gagné m'a aidée à m'intégrer dans des groupes de gens. Auparavant, la présence de plusieurs personnes me faisait paniquer. Grâce à sa technique, j'ai appris à maîtriser mes peurs et mes émotions. J'ai aussi appris à mieux vivre avec moi-même.

Merci, Géraldine. Félicitations et bon succès.

Jeannine

MES PETITS TRUCS
ET CONSEILS
POUR VOUS AIDER

Vous êtes frileux ? Vous avez des douleurs musculaires ? Vous souffrez d'insomnie ? Peu importe votre problème, nous tenterons de vous aider. Pour faciliter vos recherches, nous procéderons par ordre alphabétique. Quels que soient vos malaises, je vous propose quelques petits trucs et conseils pour vous aider à les soulager. Évidemment, il ne s'agit aucunement d'un traitement curatif. Comme je vous le soulignais à la première page de ce volume, vous devrez toujours consulter votre médecin avant de pratiquer les exercices de ce livre. Il vous faut absolument son consentement pour les mettre en pratique.

Si vous prenez des médicaments, seul votre médecin peut décider si vous devez diminuer ou arrêter de les prendre. Rappelez-vous également qu'on n'arrête jamais de prendre un médicament du jour au lendemain. On doit toujours diminuer graduellement.

ACOUPHÈNES - BOURDONNEMENTS

- Commencez toujours par pratiquer la **gymnastique respiratoire**.
- Je vous recommande les exercices du premier programme.
- Utilisez la douche nasale quotidiennement.
- Reposez vos oreilles du stress causé par le bruit en plaçant les index sur les

oreilles de façon à bien fermer le conduit auditif. Avec les majeurs, vous touchez les index en tapant 20 fois doucement et lentement. Répétez au besoin. Vous entendrez un léger battement comme celui du cœur.

- Massez ensuite le cou, partant du centre de la nuque en allant vers l'avant.
- Frottez la tête pour activer la circulation.
- Décontractez les mâchoires en gardant tout simplement la langue entre les dents.
- Massez en douceur le contour de l'oreille.
- Pour soulager la pression dans la tête, bouchez et débouchez les oreilles avec les index en tapotant légèrement et doucement. Répétez selon vos besoins.
- Étirez les oreilles délicatement, ça ouvre à la vie !

AGRESSIVITÉ - IMPATIENCE

- Quand on devient impatient, c'est généralement qu'on commence à être fatigué. Il serait bon de se reposer si
  l'occasion s'y prête. Si vous pensez per-
  dre le contrôle, allez respirer un peu
  d'air à la fenêtre ou à l'extérieur, ou
  encore mieux, faites le tour du quartier,
  ça vous calmera.
- Pratiquez la **gymnastique respiratoire**
  quotidiennement en souriant.
- Faites le quatrième programme, le **souffle de la méditation.** C'est très efficace
  pour se calmer.
- Quand vous êtes seul, défoulez-vous en
  frappant dans un oreiller.
- Pratiquez la «poupée de guenille» pour
  dégager les énergies.

POUPÉE DE GUENILLE

Tenez-vous debout. Penchez-vous légèrement vers l'avant. Secouez les bras, les mains et les jambes comme s'ils étaient de la guenille.

- Si vous ressentez de l'impatience au niveau des jambes ou des bras, faites la poupée de guenille pour faire circuler et dégager l'énergie.
- Vous êtes impatient au volant de votre voiture, à un feu de circulation, prenez une bonne **respiration consciente** pour garder votre calme.
- Pratiquez le rire, c'est la plus belle des thérapies.
- Faites-vous un beau sourire le matin dans votre miroir.
- Souriez en faisant vos exercices.

ANGOISSE - ANXIÉTÉ - ANGINE

ANGINE : Si l'on parle d'angine, on peut dire qu'elle tient une bien triste place dans notre société. Elle est le résultat de notre vie trépidante. On la reconnaît à la douleur au thorax souvent reliée à un effort. On peut parfois la confondre avec une douleur à l'estomac ou encore avec une douleur ulcéreuse. Si jamais vous avez une douleur qui pourrait vous laisser croire à une crise d'angine, vous devez absolument consulter votre médecin.

Comme on le dit : l'angine, c'est de l'anxiété poussée à fond.

ANGOISSE : Nous sommes tous un peu angoissés, que ce soit à cause d'un malheur ou même d'un bonheur. L'important, c'est d'apprendre à se maîtriser, à se contrôler. En pratiquant les programmes de respiration, il est possible de diminuer

et même de lâcher prise devant l'anxiété
et les inquiétudes.

- Il est important de tourner le bouton du
  négatif au positif. Répétez-vous : «Il arrivera ce qui pourra, le meilleur arrive.»
- Relaxez votre plexus solaire à l'aide de
  vos mains ou avec une bouillotte d'eau
  chaude.
- Stimulez vos glandes salivaires parce
  que la bouche s'assèche dans des moments d'anxiété.
- Après le repas, faites une petite sieste
  pour calmer votre anxiété.

BURNOUT - DÉPRESSION

Qui ne connaît pas un compagnon ou une
compagne de bureau qui a dû quitter le
travail pour cause de *burnout* Peut-être est-
ce vous-même ? On dit que c'est la plus
grande cause d'absentéisme au travail.

Par la pratique de la **gymnastique respiratoire**, vous apprendrez à être à l'écoute de votre corps. Vous réussirez à mieux dormir, à mieux vous reposer et par le fait même, à rendre plus facile votre quotidien parce que vous serez plus en forme. Sachez quand vous arrêter. Apprenez à protéger votre bien-être.

- Respirez par le nez pour respirer plus profondément. Donnez de l'oxygène à votre cerveau pour qu'il vous procure une meilleure santé.
- Arrêtez de fonctionner à 200 %. Contentez-vous du 70 %.
- Pratiquez votre gymnastique respiratoire, si possible le matin; vous fonctionnerez mieux, ça commence bien une journée. Faites-vous un horaire mais sans trop le charger; et ce que vous n'aurez pas le temps de terminer le jour même, vous le ferez le lendemain.

- Si vous êtes très épuisé en commençant votre journée, arrêtez à toutes les heures pour prendre le temps de penser à bien respirer (une à cinq minutes si possible). Si vous n'y pensez pas, achetez-vous une montre qui sonne aux heures pour vous avertir.

- Pratiquez **le souffle qui nettoie** pour libérer le stress.

- Pratiquez **le souffle de la méditation**, une aide précieuse au développement des facultés mentales que sont la mémoire et la concentration.

CONSTIPATION - DIARRHÉE

CONSTIPATION : On prétend que 40 à 60 % des gens sont concernés par ce problème. Il semble que la constipation soit une «maladie» rencontrée davantage chez les femmes que chez les hommes. Toutefois, certains médecins affirment que le terme «maladie» n'est pas approprié.

Cependant, ce qui est encore plus difficile à déterminer, c'est la fréquence. Quand on arrête d'être régulier, on dit généralement qu'on est constipé.

- Si cela est votre cas, pratiquez la **gymnastique respiratoire**.
- Je vous recommande de manger lentement et de bien mastiquer vos aliments.
- Si vous prenez des fibres, buvez beaucoup d'eau.
- Pratiquez **la respiration glouglou** après les repas. Le matin, on peut la pratiquer au lit, avant le lever.
- Faites de la marche.
- Massez la région située entre le pouce et l'index.
- En position assise, avec vos poings, frappez légèrement vos genoux (sous la rotule).
- Répétez au besoin.
- Si vous êtes de petite taille, placez un objet sous les pieds pour les relever de

quelques pouces (centimètres), quand vous êtes assis sur la toilette.

- Si vous êtes constipé (avec bouchon), prenez un bain à l'eau tiède pendant 10 minutes avant d'aller à la selle.
- Massez votre ventre dans le sens des aiguilles d'une horloge (vers la gauche). Si vous avez une diarrhée, massez en sens contraire.

DIGESTION LENTE ET DIFFICILE

On ne prend pas le temps de relaxer pour manger. On se hâte de terminer son repas parce que le temps nous presse. Il est vrai que certaines personnes n'ont très souvent que 30 minutes pour avaler leur sandwich. Si tel est votre cas, prenez le temps de faire des **respirations conscientes** avant le repas et de vous asseoir pour manger.

Bien assis, les pieds posés au sol, mastiquez bien les aliments. Essayez de compter 30 mastications d'une même bouchée avant d'avaler. Notre estomac n'a pas de dents, alors le travail se fait dans la bouche. Mangez la bouche fermée pour éviter d'avaler de l'air.

Si vous manquez de salive, activez vos glandes salivaires avant le repas. Évitez de parler ou de rire en mangeant. Évitez de tourner la tête de côté en mastiquant pour éviter de vous étouffer.

REMARQUE

Il importe de fabriquer souvent de la salive en promenant sa langue au palais, sur les gencives et sur les dents ou en la mordillant légèrement. Effleurez le menton avec vos pouces. Effleurez vos joues avec vos petits doigts en allant de haut en bas. Ces exercices vont activer vos glandes salivaires.

- Faites **la respiration glouglou** 10 minutes avant le repas. Mais si vous le préférez, faites le souffle qui nettoie, notamment si vous vous sentez très tendu.

- Il est conseillé de boire une heure avant le repas et deux heures après le repas pour éviter les gonflements et les ballonnements.

Le repas terminé, faites la respiration glouglou. Avec le bout des doigts, tapotez légèrement la région de l'estomac et du foie pour activer la digestion. Effleurez le bras gauche avec votre main droite, en partant du bout des doigts vers l'épaule. Répétez avec la main gauche sur votre bras droit. Ça aide une digestion lente en travaillant au niveau des méridiens de l'estomac et c'est efficace.

- Faites un peu d'exercice, allez marcher.

RAPPELEZ-VOUS :

1. Buvez un verre d'eau tiède ou chaude (mais pas trop chaude) le matin, à jeun.
2. Mastiquer bien (30 fois chaque bouchée).
3. Conservez un bon maintien (détente avant de manger).
4. Buvez une heure ou deux après le repas.
5. Stimulez les glandes salivaires.
6. Avant et après le repas, faites la respiration glouglou.
7. Dégagez les méridiens de l'estomac en remontant les bras.
8. Contre les ulcères d'estomac, exercez-vous beaucoup à la détente et mastiquez bien vos aliments.
9. Faites de l'exercice comme la marche pour activer les organes internes.

Pour faire passer le hoquet, pratiquez **le souffle qui nettoie.** Décontractez le plexus solaire en y mettant une bouillotte d'eau chaude.

DIFFICULTÉS D'APPRENTISSAGE

Pour étudier, il faut évidemment savoir se concentrer. Nos problèmes prennent trop souvent le dessus et nous développons des difficultés face à l'apprentissage.

- Commencez par pratiquer **la gymnastique respiratoire** quotidiennement.
- Prenez le temps de répéter pour assimiler la technique.
- En oxygénant mieux son cerveau, il est plus facile d'apprendre, d'assimiler.
- Je vous recommande le **souffle de la méditation.** Il favorise le développement de la mémoire, de la concentration et de la volonté.

• Pressez légèrement au centre du front
avec l'index, dans le sens des aiguilles
d'une horloge (vers la gauche), pour activer la glande pituitaire (hypophyse).

DIFFICILE D'ARRÊTER DE FUMER

Quel problème ! Combien de fois avez-
vous essayé sans succès d'arrêter de
fumer ? Peut-être que vous ne procédez
pas logiquement. Il serait préférable d'apprendre d'abord à mieux respirer et arrêter de fumer ensuite.

Les personnes qui arrêtent de fumer ont des symptômes très désagréables
car, pour elles, fumer était devenue la
façon de respirer.

• Utilisez la douche nasale pour nettoyer
les sinus des toxines.
• Pour vous faciliter la tâche, faites sem-
blant de fumer pour continuer à absor-

ber l'air dont vous avez besoin. Surtout, expirez pour éliminer le gaz carbonique et pour vous débarrasser de certains effets désagréables causés par le sevrage de la cigarette. Dans une respiration, il faut bien retenir que l'expiration (sortie d'air) est toujours plus importante que l'inspiration (prise d'air).

- Essayez de ne pas fumer en ne prenant qu'une journée à la fois.

DOULEURS MUSCULAIRES : ARTHRITES, ETC.

- Faites de la **gymnastique respiratoire** très lentement, en douceur.
- Pour diminuer les douleurs, faites des respirations. Essayez d'avoir un sommeil profond, de préparer votre nuit pour bien dormir. Prenez un bain de sel d'Epsom.
- Massez l'endroit douloureux avec de l'huile de ricin chaude, puis placez-y

une flanelle et une bouillotte pendant
une ou deux heures. Répétez pendant
10 jours. Si le chaud ne vous convient
pas, n'utilisez pas la bouillotte chaude.

- Bougez, marchez et respirez bien.
- Il serait peut-être bon de corriger votre
alimentation.

REMARQUE

Ma recette de dépuratif :
Dans un grand chaudron, faites
bouillir dans l'eau un pied de céleri
avec feuilles et laissez mijoter durant
45 minutes. Buvez cette eau durant la
journée. Pour ma part, j'aime bien le
faire au printemps et à l'automne. Si
vous avez beaucoup de douleur,
faites-le une fois par mois pour un
certain temps. Mais prenez garde à
l'exagération.

- Quand vous ressentez une douleur, essayez de ne pas lui accorder trop d'importance. Concentrez-vous. Pour oublier le mal, vous pincez le bout des doigts; comme je le dis souvent, ça va changer le mal de place...

- Si vous avez une douleur au cou, massez la nuque avec le bout des doigts en partant du centre vers l'avant. Si la douleur est plutôt dorsale, massez le dos avec les mains, poings fermés, à partir de la colonne vers l'avant.

- Pour la partie du dos que vous ne pouvez atteindre, placez votre dos au coin d'un mur. En commençant juste à côté de la colonne (n'appuyez jamais sur la colonne), massez en pressant vers l'avant. Si c'est trop sensible, placez un petit caoutchouc mousse (*foam*) ou une serviette repliée pour vous protéger. Vous sentirez un bon soulagement.

- Attention à votre posture lorsque vous êtes au téléphone ou quand vous marchez. Lorsque vous êtes assis et que les pieds ne reposent pas au sol, placez un banc sous les pieds pour aider à relâcher la tension dans la colonne vertébrale.

- Si vos doigts souffrent d'arthrite, massez-les avec de l'huile de ricin chaude tous les soirs. (Portez un gant de coton blanc parce que c'est huileux.) Vous remarquerez que vos doigts bougeront mieux et que la douleur sera soulagée si ce n'est totalement disparue.

- Détendez-vous...

- Vous avez des douleurs aux mains ? Ne tenez pas le téléphone de manière trop serrée. La même recommandation s'applique pour votre stylo et le volant de votre voiture.

ENGOURDISSEMENTS

- Commencez par pratiquer la **gymnastique respiratoire** pour une meilleure circulation.
- Vous devez bouger; faites la poupée de guenille, secouer les bras, les mains et les pieds si vous engourdissez des bras ou des mains durant la nuit.
- Avant d'aller au lit, levez les bras le plus haut possible. Étirez-les, les mains ouvertes, puis redescendez-les lentement. Répéter quatre fois.
- S'il s'agit des pieds, pointez ces derniers vers vous. Répétez quatre fois.
- Prenez un bain de sel d'Epsom, pour vous relaxer.
- Essayez de vous endormir avec des pensées positives en tête ou encore en vous répétant des mots tels que santé, joie, bonheur, richesse, succès...
- Lâchez prise pour ne pas ressentir d'engourdissement et répétez-vous : «Il

arrivera ce qui pourra, le meilleur arrive.»

ÉTOURDISSEMENTS

- Pratiquez la **gymnastique respiratoire** suivie du **souffle qui nettoie.**
- Surveillez votre alimentation.
- Le matin, prenez le temps de bouger au lit avant de vous lever. Tournez-vous d'un côté puis de l'autre. En vous aidant de vos bras, roulez-vous pour vous lever. Demeurez assis quelques secondes sur le bord de votre lit. Se lever rapidement peut entraîner des étourdissements et on peut ensuite rester abasourdi toute la journée et ressentir de la fatigue.
- Si vous avez un étourdissement, fixez un point au loin en tournant lentement la tête à gauche et puis à droite, en fixant toujours le point.

REMARQUE

Je vous propose un petit exercice à faire durant la journée. Placez un rouleau vide de papier de toilette ou de papier à main devant votre œil droit. En fermant l'œil gauche, vous regardez les quatre coins du mur, lentement. Puis vous répétez l'exercice avec l'autre œil.

- Pour améliorer votre équilibre, tenez-vous sur une seule jambe à la fois. Si c'est difficile au début, appuyez-vous au dossier d'une chaise. Avec le temps, vous pourrez le faire sans appui.

HYPERVENTILATION - AÉROPHAGIE

Voici quelques considérations sur les problèmes respiratoires : asthme, bronchite, etc.

De nos jours, on reconnaît qu'il y
a de plus en plus de problèmes respiratoires. Les gens vivent beaucoup d'émotions causées soit par une séparation ou
la perte d'un emploi, soit par tout autre
problème ou inquiétude. L'anxiété peut
développer un problème d'hyperventilation.

Tous ceux qui souffrent d'aéro-
phagie sont des mangeurs et des buveurs
d'air. Ils ne doivent pas parler ou rire en
mangeant. Il est préférable qu'ils prennent une petite bouchée et prennent le
temps de la mastiquer au moins 30 fois
avant de l'avaler. Quand ils sauront mieux
respirer par le nez, ils pourront manger en
gardant la bouche fermée.

• Pratiquez la **gymnastique respiratoire** tous les jours. Faites des **respirations saccadées** le matin. Il vous faut
rééduquer votre respiration.

- Faites des séances de relaxation. Le stress fait gonfler les tissus au niveau des sinus et rend la respiration plus difficile.
- Utilisez la douche nasale tous les jours.
- Si vous faites de l'hyperventilation, il est important d'apprendre à bien respirer; pratiquez donc le **souffle qui nettoie**. Pour vous aider rapidement, asseyez-vous sur une chaise et penchez-vous légèrement vers l'avant. Laissez s'échapper une partie de l'air des poumons, en trois petites expirations saccadées et terminez avec une expiration plus longue. Attendez quelques secondes pour que votre respiration redevienne normale.
- Les personnes souffrant d'hyperventilation respirent généralement par la bouche. Elles doivent réapprendre à mieux respirer par le nez.
- Changez-vous les idées, pincez-vous le bout des doigts assez fort. Répétez-

vous: «Il arrivera ce qui pourra, le meilleur arrive.»

- Un autre exercice approprié consiste à masser les bras en partant du bout des doigts et en remontant le long du bras. Mettez une bouillotte d'eau chaude sur le plexus solaire, ça décontracte et ça aide à respirer plus en profondeur.

- Si vous sentez une boule au plexus solaire, massez-le avec vos mains en descendant délicatement.

- Si vous avez la bouche sèche, produisez de la salive.

REMARQUE

Soyez à l'écoute de votre corps. On sait que le sucre (raffiné) excite le système nerveux et irrite le système digestif. Faites attention à certains aliments qui forment du mucus.

Choisissez bien vos aliments.

Veillez à ce que la température de la pièce ne soit pas trop élevée, ni trop humide, ni trop sèche.

Faites attention aux odeurs fortes; les nettoyants et même les parfums peuvent vous faire tousser. N'appliquez pas de parfum trop près de votre bouche, de votre nez ou de vos yeux.

Je pense que je n'ai pas besoin d'élaborer au sujet de la cigarette. On connaît tous les méfaits et les dangers de ce fléau.

Nettoyez votre langue tout doucement à l'aide du revers d'une cuillère en passant lentement et délicatement, de l'arrière de la langue vers l'avant. (N'allez pas trop loin pour commencer pour éviter que ce ne soit désagréable.)

Le matin, soufflez à quelques reprises dans un rouleau de papier de toilette vide. Des sécrétions sortiront possiblement dans l'heure qui suivra. Vous pouvez boire de l'eau pour les liquéfier. Faites attention pour ne pas vous étourdir en soufflant trop fort.

INSOMNIE

Quoi de plus naturel que le sommeil ! Beaucoup de gens s'endorment en se mettant au lit. Par contre il y en a beaucoup d'autres qui prennent énormément de temps avant de s'endormir. Pourquoi ? Sont-ils trop nerveux ? Anxieux ? Inquiets? Le problème est différent pour chacun. Mais chacun doit se préparer à sa nuit de sommeil comme il se prépare à entreprendre sa journée de travail.

Commencez par pratiquer la **gymnastique respiratoire** quotidiennement. On n'a pas à se forcer pour dormir. Le sommeil doit venir naturellement.

On doit considérer certains points importants.

1- Pour certaines personnes, le repas du soir doit être léger car une digestion lente peut les garder éveillées.

2- Il est recommandé de mettre ses soucis de côté avant d'entrer dans sa
chambre.

3- Prenez un bain d'eau tiède, durant
15 à 20 minutes, avec une tasse de sel
d'Epsom. Le sel d'Epsom est un sel de
magnésium qui pénètre par les pores
de la peau et qui aide à détendre les
muscles. C'est pourquoi il peut aider à
diminuer ou à enlever les douleurs
causées par les tensions. Placez sous
votre cou, pour le protéger, une serviette de bain roulée. Évitez le bain
chaud car il dilate les vaisseaux san-
guins, affaiblit l'organisme et peut
même étourdir certaines personnes.

4- N'allez pas au lit si vous avez faim.
Certaines personnes ont besoin de
prendre un petit quelque chose de léger
dans la soirée. Pratiquez la **respiration
glouglou** si votre digestion est lente ou
difficile car une mauvaise digestion
empêche de dormir. Pratiquez la **gym-**

nastique respiratoire pour chasser le stress de la journée, faites le vide de l'esprit. Pratiquez le **souffle qui nettoie** pour mieux dormir. Si vous avez la bougeotte, des fourmis dans les jambes, faites la **poupée de guenille** avant d'aller au lit pour libérer l'énergie.

5- Fermez «le bouton de la pensée» en pressant avec l'index au centre du front.

6- Vous pouvez utiliser un «repose yeux» en écorce de sarrasin pour faciliter la relaxation.

REMARQUE

Vous pouvez aussi vous étirer trois à quatre fois et vous faire bâiller, ça amène le sommeil. Une fois couché, levez les bras et les jambes dans les airs et secouez-les jusqu'à ce que vous soyez fatigué. Nous devons nous fatiguer physiquement car nous sommes fatigués mentalement.

Si vous ne pouvez pas vous arrêter de penser, laissez-vous aller sur des scénarios positifs, revivez des beaux moments vécus ou que vous voudriez vivre. Pensez que la vie vous amène de belles choses. Comme l'esprit ne s'arrête pas, nous devons le guider. Notre cerveau continue de travailler pour nous quand nous dormons, alors c'est important de lui donner de bonnes informations.

Les ronfleurs ont généralement un nez bloqué, congestionné. Il s'avère important de faire la douche nasale dans la soirée pour permettre de mieux respirer.

Beaucoup de gens souffrent d'apnée durant leur sommeil. Ces personnes qui s'arrêtent de respirer en dormant, pendant plusieurs minutes, ont intérêt à pratiquer quotidiennement la **gymnas-**

tique respiratoire pour rééduquer leur rythme respiratoire. N'ayant pas de sommeil réparateur, ils sont portés à s'endormir à tout moment du jour, ce qui peut entraîner de fâcheux inconvénients.

À RETENIR POUR
UN MEILLEUR SOMMEIL :
- Conservez un bon maintien au lit (pieds relaxés).
- Dormez dans un lit ni trop mou ni trop dur : ayez un oreiller égal à l'épaule.
- **Pratiquez les techniques de gymnastique respiratoire.**
- Prenez un bain tiède, avec du sel d'Epsom.
- Faites la **poupée de guenille (au besoin)**.
- Prenez plaisir à vous étirer au lit et bâiller.
- Pratiquez le **souffle qui nettoie** dans le but de faire le vide de l'esprit.
- Pensez positivement.

- Secouez les bras et les jambes (au besoin).
- Fermez le bouton du cerveau (de la pensée) au centre du front.
- Écoutez une cassette de détente. (Voir l'annonce à la fin du livre.)
- Exercez-vous à la **respiration glouglou** si votre digestion est lente.
- Massez les plantes de vos pieds.

Il n'est pas facile de se conditionner à un meilleur maintien. Nous sommes souvent portés à avoir soit la tête trop en arrière, ce qui coupe la circulation, soit les pieds trop tendus vers le bas ou soit encore, les bras croisés. Nous devons porter une attention toute spéciale à notre posture durant la nuit car nous dormons entre sept et huit heures. Rester couché sur le ventre est une posture non recommandée. Ce n'est pas toujours évident car on revient toujours à la même posture. On doit être tenace si on veut changer une habitude.

Pratiquez la détente passive. Une fois au lit, vous répétez intérieurement : «Je relaxe ma tête, mes yeux, mes oreilles...»

REMARQUE

Au lit :

Veillez à ce que la tête soit à la bonne hauteur; procurez-vous un bon oreiller d'écorce de sarrasin.

Couché sur le dos, placez un coussin sous les jambes pour reposer la colonne vertébrale.

Étendu sur le côté, placez un oreiller entre les genoux.

Relaxez les bras.

Évitez de vous endormir en étant recroquevillé ou pelotonné.

MANQUE D'ÉNERGIE

Faites la **gymnastique respiratoire** quotidiennement, en souriant.

Trop souvent, on se couche fatigué et on se lève fatigué. On ne peut pas démarrer sa journée comme on le voudrait. Rappelez-vous trois points qu'il est bien important de respecter pour retrouver son énergie :

1- Avoir une bonne respiration;
2- Avoir une bonne alimentation;
3- Se reposer.

Le repos, on le retrouve dans le sommeil profond. Vous savez comme moi que plusieurs facteurs peuvent déranger votre sommeil. Nous venons de le voir dans les paragraphes sur l'insomnie.

Quand vous vous couchez, dites-vous que vous avez hâte au lendemain matin pour être plus en forme. Faites le contraire en vous levant, dites-vous que vous avez hâte au soir pour dormir. Il est également important de s'étirer le matin et de bâiller au lit. Levez-vous lentement. Si vous vous levez rapidement, vous perdrez 50 % de votre énergie et vous ne la reprendrez pas de la journée.

- Utilisez la douche nasale, car on sait que l'énergie circule au niveau des narines. Le nez est l'ouverture des poumons.
- Faites la **respiration glouglou** après les repas, parce qu'une digestion lente vous amortit. Tapotez légèrement le sternum (centre de la poitrine) avec le poing.
- Bougez, marchez, faites des choses pour activer la circulation.
- Faites de bonnes respirations.
- Évitez les bains trop chauds.
- Au moment de la douche du matin, en vous savonnant, utilisez un gant de

fibres végétales pour activer la circulation. Au début, allez-y en douceur pour
ne pas vous irriter la peau.

• Terminez la douche à l'eau fraîche pour
fermer les pores de la peau.

REMARQUE

Si vous écoutez une conférence ou si
vous êtes en voiture et que vous
éprouvez de la difficulté à rester éveil-
lé, claquez discrètement vos dents
ensemble, ça vous stimulera.

Pour vous redonner de l'énergie après
une détente ou à tout moment de la
journée, enroulez le poignet d'une
main avec le pouce et l'index de l'autre
et tournez dans un sens puis dans
l'autre.

Fermez la main droite et frappez avec le poing dans la main gauche. Répétez avec l'autre main.

Frappez les côtés des mains ensemble (index et pouces ensemble) puis répétez de l'autre côté (petits doigts ensemble). Ensuite, les mains ouvertes, frappez entre chaque doigt.

Faites la «boule d'énergie». En rapprochant les mains, en forme de boule mais sans toucher le bout des doigts (comme si vous teniez une balle imaginaire), vous sentirez une énergie invisible, comme un aimant. Amusez-vous à manipuler votre boule d'énergie. Placez ensuite les mains soit au plexus solaire soit sur les yeux s'ils sont tendus.

Massez délicatement la tête sur tous les côtés. Pressez légèrement le «bouton du stress», à l'arrière du cou.

Aspergez d'eau froide les poignets, les bras et la nuque. Vous êtes fatigué et vous bâillez tout le temps, c'est que vous manquez d'air. Vous devez rééduquer votre système respiratoire puisqu'en fait, vous bâillez pour respirer.

Travailler et penser à autre chose en même temps vous vide de votre énergie, parce que vous vivez dans votre tête. Il faut se reprogrammer, se reconnecter à son corps.

Quelques petits exercices de concentration s'avèrent appropriés : Fermez les mains, ouvrez les mains en disant : «J'ouvre les mains, je ferme les mains.» Quand vous descendez un escalier, pensez à le descendre en partant du pied gauche et quand vous montez l'escalier, pensez à partir du pied droit. Quand vous ouvrez ou fermez un robinet, dites-le... ouvrir... fermer...

MAUVAISE CIRCULATION

- Faites de la **gymnastique respiratoire** quotidiennement parce qu'une bonne respiration aide grandement à la circulation.
- Bougez, marchez, faites la **poupée de guenille**.
- Massez les jambes en partant du bout des pieds.
- La **gymnastique respiratoire** et la détente corrigent le problème des crampes. On peut aussi soulager une crampe en marchant sur le bout des

pieds ou encore, en allongeant sa jambe
et en pointant le pied vers soi.

- En marchant ou en vous tenant debout,
  pensez à garder les orteils décontractés.
- Pour activer la circulation, utilisez un gant
  de fibres végétales pendant la douche.
  Évitez les bains trop chauds.

MAUX DE TÊTE

Il y a plusieurs causes aux maux de tête et
aux migraines, autant qu'il y a de sortes
de céphalées. On peut parler de céphalée
dite de tension, etc.

- Pratiquez la **gymnastique respiratoire**
  quotidiennement.
- Vous devez évidemment veiller à bien
  vous alimenter, à manger lentement et
  à bien mastiquer chaque bouchée (30
  fois). Je le répète, mais il est important
  de bien se le rappeler. Si possible, il est

également préférable de manger à des heures régulières parce qu'une trop grande faim provoque des maux de tête.

• Relaxez le cou en faisant les premiers exercices pour améliorer votre circulation. Massez la tête, les tempes, le front et la nuque. Au niveau de la nuque, partez du centre et massez vers l'avant. Placez la main fermée sur votre front et faites une pression avec vos jointures.

REMARQUE

Attention, il est important d'avoir une bonne posture au lit. Levez-vous lentement; faites des étirements.

Pratiquez une douche nasale pour mieux respirer par le nez.

Ouvrez grand la bouche et les yeux puis refermez.

Frottez les mains ensemble et placez-les sur les yeux, ça enlèvera les tensions.

Pointez les pieds vers vous pour faire remonter la circulation.

Si vous écoutez quelqu'un, agrandissez votre champ de vision.

Pour activer la circulation au niveau du cou et du dos, ramenez vos épaules vers l'arrière, attendez quelques secondes puis revenez à la normale.

Si vous avez un œil qui saute, massez le derrière de la tête, en partant du milieu de la tête vers l'avant. Faites la même chose pour les problèmes d'oreilles.

Si vous avez mal à la tête, au front ou aux yeux, ouvrez grand les yeux, regardez devant vous, au niveau de l'horizon, puis fermez lentement les yeux tout en continuant à regarder vers l'horizon (les yeux fermés). On a tendance à regarder trop vers le bas ou vers le haut.

NÉGATIF QUI NOUS ENTOURE

Vous devez faire un effort pour le chasser. Au début de chaque journée, assis, fermez les yeux et essayez de vous imaginer que vous vous recouvrez d'un manteau de fleurs ou encore de lumière et dites-vous que vous vous protégez de tout ce qui est négatif.

Le négatif ne vous atteint plus; par contre le positif entre, l'oxygène passe. Ensuite, levez-vous et commencez votre journée lentement. Vous verrez, vous serez moins susceptible de capter le négatif.

Devant quelqu'un qui vous raconte des choses qui vous touchent ou qui vous attristent, couvrez le plexus solaire à l'aide des mains ou d'un bras.

PALPITATIONS

Pratiquez la **gymnastique respiratoire** quotidiennement, la **respiration glouglou** et le **souffle de la méditation**. Vous serez plus calme, vous vous relaxerez.

Le cœur a besoin d'oxygène pour bien fonctionner. Si l'on respire à peine, il nous donne un signal en accélérant les battements. Souvent, ça nous fait peur et nous bloquons notre respiration encore davantage; cela peut provoquer une perte de contrôle allant jusqu'à la panique pour certains.

• Utilisez la douche nasale quotidiennement.

- Calmez votre cœur en lui parlant, en lui disant de battre normalement.
- Frottez les mains ensemble, placez-les sur le cœur et ça le calmera.
- Évitez le sucre et le café parce qu'ils sont des excitants.
- Choisissez vos aliments.
- Prenez un bain relaxant avec le sel d'Epsom.
- Pensez à bien respirer !

REMARQUE

Surveillez la position de votre tête. Gardez-la bien centrée. Elle est souvent portée à pencher à gauche ou à droite ou a tendance à s'avancer, surtout si vous faites un travail manuel, lorsque vous conduisez votre voiture ou regardez la télévision. Les petites personnes ont souvent tendance à lever la tête d'une façon exagérée. Observez-vous...

PANIQUE - PEURS -
AGORAPHOBIE

Énormément de gens souffrent de différentes phobies. Ici, on parlera de la peur
en général, de cette peur qui va jusqu'à
faire paniquer les gens tellement ils sont
angoissés.

- Ils ont peur, ils arrêtent de respirer.
- Ils ressentent une douleur, ils arrêtent
  de respirer.
- Ils vivent un stress, ils arrêtent de respirer.

Avec la vie d'aujourd'hui, il n'y a
rien d'étonnant à voir autant de gens
souffrir de symptômes aussi désagréables.
Leur vie est brisée par la peur.

Changez votre façon de penser,
changez votre façon de vivre. Cessez
d'être toujours à la course, d'avoir un

horaire trop chargé. Voyez la vie d'un autre œil.

On veut avoir des pensées positives et ce qui n'est pas toujours évident. Cependant, en travaillant sa **technique de respiration**, on s'aidera à passer du négatif au positif. On doit être à l'écoute de sa respiration. On doit se maîtriser et se contrôler grâce à la pratique de la **gymnastique respiratoire**.

La technique vous aidera à changer votre attitude face à la vie.

REMARQUE

Si vous êtes inconfortable devant quelqu'un ou dans une ligne d'attente, balancez-vous discrètement de gauche à droite ou de l'avant à l'arrière.

Se bercer dans une berçante fait du bien. On dit que ça rééquilibre.

Portez un élastique au poignet, et lorsque vous sentez monter la panique, tirez sur l'élastique, jouez avec lui, ça va vous calmer; ou encore, frottez les ongles des deux mains ensemble.

Si vous manquez d'air, frottez le dessous du nez. Il s'agit d'un point de réanimation. Retroussez le bout du nez pour mieux respirer.

Si vous avez la bouche sèche, activez vos glandes salivaires en promenant la langue au palais, sur les gencives et sur les dents ou encore en mordillant le bout de la langue.

N'oubliez pas cette phrase : «Il arrivera ce qui pourra, le meilleur arrive.» Cela vous aidera à lâcher prise.

Pratiquez la **gymnastique respiratoire** en souriant. Complétez le programme une fois par jour :

1 - Utilisez la douche nasale quotidiennement.

2 - Surveillez votre alimentation. Évitez de manger du sucre car cela excite et rend plus nerveux.

3 - Pour certaines personnes : Mangez moins mais plus souvent. Ayez des heures régulières de repas.

4 - Vous avez un moment de panique, pensez à ce petit truc : Pincez le bout des ongles (le bout des doigts), ça change le mal de place. Ce sont des extrémités nerveuses.

5 - Quand vous êtes dans une ligne d'attente, soit à la banque ou ailleurs, gardez l'esprit présent; regardez ce qui se passe autour de vous, regardez les belles choses

qui vous entourent. Arrêtez de penser à toutes sortes de choses négatives. Vivez le moment présent. Faites des respirations sans exagérer. Pensez à bien respirer. Si c'est trop difficile, retroussez le bout du nez bien discrètement à l'aide de l'index, ça permet de faire rentrer l'air et ça calme.

6 - Après la pratique de la **gymnastique respiratoire**, relaxez-vous et imaginez des scénarios positifs plutôt que d'appréhender certaines situations.

7 - Pratiquez le **souffle qui nettoie** avant d'aller dans un endroit stressant.

Vous paniquez, vous manquez d'air. Expirez lentement par la bouche par petits coups saccadés, ça vous aidera à mieux respirer.

La clef de tout cela : C'est de lâcher prise, de vivre une journée à la fois et de vivre le moment présent.

REMARQUE

Si vous sentez monter la tension en vous (ou une panique), prenez une légère collation si ça fait plus de deux heures que vous avez mangé.

PIEDS ET MAINS FROIDS - FRILEUX

- Pratiquez la **gymnastique respiratoire.**
- Quand vous avez les mains froides, serrez les doigts avec l'autre main jusqu'à ce qu'ils deviennent bleus puis relâchez. Répétez avec l'autre main.
- Secouez les mains comme s'ils étaient de la guenille.
- Frottez les pieds au sol pour activer la circulation et pointez-les vers vous.
- Faites travailler les pieds et les mains. Ce sont des extrémités nerveuses.

• L'hiver, quand on a froid, on est porté à se contracter, à se crisper... Il faut plutôt faire le contraire, on doit relâcher tous les muscles pour avoir une meilleure circulation.

PROBLÈMES DE CHALEUR - LA MÉNOPAUSE

• Pratiquez la **gymnastique respiratoire** quotidiennement.
• Utilisez la douche nasale.
• Exécutez également le souffle de la méditation le matin, le midi et le soir.
• Quand une chaleur s'annonce, massez le centre du front avec l'index. (Tournez dans le sens des aiguilles d'une horloge.) Elle durera moins longtemps et sera moins forte. Répétez souvent pour éviter les chaleurs.
• Évitez le sucre, le café, etc. Choisissez bien vos aliments.

• Aspergez d'eau froide les poignets et les bras, surtout aux saignées. On peut également asperger la nuque.

PROBLÈMES DE SINUS

Le nez, à titre de premier organe de l'appareil respiratoire étant en contact avec l'air, voit ordinairement à éliminer, au moins en partie, les germes que l'air transporte. Tout le monde connaît la grippe, mais on ne sait pas trop avec quelle force elle attaque les sinus.

Avec les index, faites une pression sur la joue de chaque côté des narines; pressez ensuite, toujours avec les index, le haut du nez entre les deux yeux. Massez légèrement avec les pouces entre les sourcils. Pressez l'os de la joue avec les index, puis continuez à presser en douceur en contournant les yeux (sous les sourcils). Attention : ne touchez pas à l'orbite de l'œil.

- Mouchez-vous tous les matins en vous levant.
- Pratiquez les exercices pour décongestionner le nez.
- Utilisez la douche nasale.

DOUCHE NASALE (LOTA)

Le Lota, de Ludmilla de Bardo, est un petit récipient en forme d'arrosoir qui sert à irriguer les fosses nasales. Maniable, il respecte l'anatomie du nez par son embout et l'inclinaison de son bec verseur. Le flux de l'eau s'écoule naturellement et de manière constante tout au cours de la douche. Après la douche nasale, il est très important de se sécher le nez comme le recommande la méthode de Ludmilla de Bardo.

Selon la méthode ci-haut mentionnée, cette pratique favorise l'hygiène du nez pour ceux qui ont le nez bouché, le nez sec ou le nez qui coule, pour ceux qui éprouvent des problèmes d'allergies ou des troubles d'insomnie, pour ceux qui fument ou ceux qui ronflent...

RONFLEMENT

- Pratiquez la **gymnastique respiratoire** quotidiennement.
- Utilisez la douche nasale dans la soirée.
- Encore une fois, il faut surveiller son alimentation, surtout le soir.
- Pratiquez des exercices pour renforcer certains muscles de la bouche et de l'arrière-gorge.
- Poussez la langue au palais quelques secondes et relâchez-la. Répétez quatre fois. Sortez aussi la langue de tous les côtés et rentrez-la. Tous ces exercices doivent se faire lentement.

STRESS DE LA VIE

Il est bien inutile d'élaborer sur le stress. Tout le monde connaît ce problème mondialement répandu. Ce fameux stress bloque toute notre énergie. On devient contracté au niveau du plexus solaire, contracté au niveau des vertèbres cervicales (le cou). Ce sont les deux centres nerveux les plus importants; c'est dans la nuque que se stabilisent les trois fonctions principales que sont la digestion, la respiration et la pression sanguine du cœur.

La nuque, c'est le centre de la panique et de la migraine. C'est le centre nerveux le plus important. Le stress constitue un facteur aggravant de toute maladie.

Pour vous aider quotidiennement face au stress, pratiquez la **gymnastique respiratoire,** détendez-vous en écoutant des cassettes de relaxation ou une musique de votre choix. Prenez un peu de temps pour vous, offrez-vous quelques minutes de détente chaque jour. Choisissez le moment qui vous convient le mieux : l'après-midi convient mieux à certains et à d'autres la période qui précède le sommeil est plus favorable. La détente fait partie d'une bonne hygiène de vie.

Voici comment vous y préparer : Ouvrez la fenêtre, allongez-vous confortablement, fermez les yeux et écoutez une musique douce ou une cassette de détente. Concentrez-vous sur la musique ou sur les paroles prononcées.

À cet effet, le **Centre de Gymnastique Respiratoire** met à votre disposition une cassette de détente sur laquelle vous pourrez entendre le son d'une respiration consciente suivie d'une période de relaxation et de formulation de pensées positives. (Voir les détails à la fin du livre.)

On devrait s'arrêter à toutes les heures et penser à prendre de bonnes respirations; ça relaxe et redonne de l'énergie. Une montre qui sonne aux heures peut nous faire penser à mieux respirer. À la maison, aérez bien vos appartements car la qualité de l'air est très importante. La vie est dans l'air. Au travail, surtout dans les grands édifices, mal aérés, les employés sont vite fatigués, ils souffrent de maux de tête et d'étourdissements. Ils éprouvent forcément de la difficulté à se concentrer et finissent par être malades.

Pratiquez la gymnastique respiratoire tous les jours. Pour vous débarrasser de votre stress, contournez votre visage à l'aide des index. Du front, descendez devant les oreilles et terminez sous le menton en vous disant que vous éliminez le stress.

REMARQUE

Dans une journée il y a 24 heures : huit heures de sommeil, huit heures de travail et huit heures de loisir.

Sous l'effet du stress, nous fonctionnons sur l'adrénaline. Cela fatigue les glandes surrénales et pour que ces dernières fonctionnent bien, nous devons nous reposer, nous relaxer. En pratiquant la gymnastique respiratoire, nous nous détendons et par le fait même nous stimulons l'action des endorphines, notre «morphine» naturelle, qui aident à nous soulager, à améliorer notre santé et notre qualité de vie.

Nous avons tous notre propre pouvoir de guérison à l'intérieur de nous-mêmes mais nous devons trouver les principaux outils pour nous aider.

COMMENT PRÉPARER
VOTRE JOURNÉE DE TRAVAIL ?

- Le matin, après vous être levé lentement, buvez un verre d'eau tiède.
- Prenez un bon petit déjeuner, ça vous donnera de l'énergie.
- Utilisez la douche nasale.
- Procédez à l'hygiène buccale à l'aide de la cuillère.
- Gargarisez-vous.
- Si vous travaillez à la maison, faites votre toilette comme si vous alliez travailler à l'extérieur. C'est bon pour le moral !

REMARQUE

Sortez tous les jours. Gardez-vous des courses à faire. Planifiez votre épicerie de façon à en faire un peu chaque jour. Le fait de sortir quotidiennement vous permet de rencontrer des nouvelles personnes. Ça aussi, c'est bon pour le moral !

LE MOT DE LA FIN

J'espère que la lecture de cet ouvrage aura su vous insuffler le goût de respirer librement et complètement. Il est vrai que prendre de nouvelles habitudes n'est pas toujours facile, même si l'on sait qu'elles nous apporteront de grands bienfaits.

Prenez le temps de regarder vers demain et imaginez à quel point il vous sera agréable et gratifiant d'avoir rééduqué graduellement votre respiration.

Écoutez les gens parler, ils disent parfois: «Il respire la santé», ou encore : «Elle respire la joie de vivre». Inconsciemment, la respiration est associée au bien-être du corps et de l'esprit. Et par mon expérience, je peux vous dire que dans les faits, elle l'est tout autant. À n'en pas douter, vous serez récompensé!

Les personnes désirant suivre le cours de gymnastique respiratoire au

centre doivent au préalable communiquer
avec Géraldine Gagné au numéro:
(450) 679-7865.
Consultez aussi le site Internet:
pages.infiniti.net/respirer

CASSETTE DE DÉTENTE

Voici un outil pour vous aider à vaincre les problèmes de stress, d'angoisse, d'insomnie et d'excès
de fatigue. **Côté A:** la technique de relaxation et de
détente. **Côté B:** série de pensées positives. Pour
recevoir cette cassette, faites parvenir un mandat-
poste de 14$ (taxes et frais de transport inclus) à
l'ordre de Géraldine Gagné à l'adresse suivante:

CENTRE DE GYMNASTIQUE RESPIRATOIRE
GÉRALDINE GAGNÉ
644, boul. Curé-Poirier Ouest, suite 1
Longueuil (Québec) J4J 2H9 CANADA

VEUILLEZ ÉCRIRE EN LETTRES MOULÉES

Prénom(s): ....

Nom de famille: ....

Adresse: ....

....

Ville: ....

Province: ....Code postal: ....

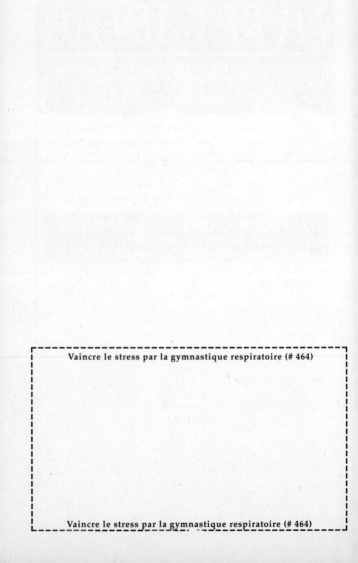

Vaincre le stress par la gymnastique respiratoire (# 464)

Vaincre le stress par la gymnastique respiratoire (# 464)